LE QUÉBEC ME TUE

Helene Jutras

LE QUÉBEC ME TUE

Les Éditions des Intouchables

LES ÉDITIONS DES INTOUCHABLES
4638, rue Garnier
Montréal (Québec) H2J 3S7
Téléphone : (514) 529-7780

Impression : AGMV inc.
Distribution : Diffusion Liber T inc., 681, rue Principale,
          Sainte-Dorothée, Qc, H7X 1E2, Tél.: (514) 689-6044
Mise en page : Geneviève Côté
Maquette de la couverture : Stéphane Têtu
Photographies : Christian d'Avignon
Sculpteur : Pierryves Angers (c)
Titre de l'œuvre : «Le Malheureux Magnifique» 1977

La sculpture est la propriété de la Ville de Montréal et
est située à l'angle des rues Sherbrooke et Saint-Denis
(nord-ouest).

Pierryves Angers n'accorde aucune approbation ni
improbation aux opinions émises dans cet ouvrage.

Dépôt légal : 1995
Bibliothèque nationale du Québec

À Christian.
Avec mes remerciements
sans fin à Thanh-Tram.

« *Le lien qui t'unit à ta vraie famille n'est pas celui du sang, mais celui du respect et de la joie, dans la vie de chacun des membres. Il est rare que les membres d'une même famille grandissent sous le même toit.* »

RICHARD BACH *Illusions ou les Aventures du messie récalcitrant.*

AVANT-PROPOS

Le 30 août et le 27 septembre 1994, le journal *Le Devoir* publiait deux articles, deux réflexions, intitulés « Le Québec me tue ». La campagne électorale s'éternisait, les journaux ne savaient plus quoi en dire. Les gens, semble-t-il, ont été très choqués par les deux textes : cela fait une dizaine d'années qu'au *Devoir* on a reçu autant de commentaires au sujet d'un article. Depuis, en fait, le débat ayant entouré la loi 178 sur la langue d'affichage. Après la télévision et la radio, le débat a continué pendant plus de trois mois dans les journaux. J'ai été invitée à quatre émissions de télévision et à deux de radio, et deux portraits de moi ont été publiés dans de grands quotidiens.

Je tiens à avertir le lecteur : il sera peut-être déçu de ne trouver ici que des critiques sans solution grandiose ou miraculeuse. En fait, les solutions, quand il y en a, se trouvent dans les problèmes eux-mêmes. Pour le reste, on ne peut qu'attendre, car bien des choses que je critique appartiennent à la mentalité québécoise, sinon à celle de l'humain, et une mentalité ne change qu'avec des siècles d'attente, de patience et de travail constant. Pour cela cependant, il faut d'abord prendre conscience de ces problèmes et cesser de se mettre la tête dans le sable. Il faut également ouvrir une discussion, ce qui ne se fait jamais sans heurts au Québec. On préfère souvent se taire et attendre que les difficultés disparaissent plutôt que se prendre en main et se poser les vraies questions.

Je ne prétends pas représenter ma génération. Trop souvent on regroupe les gens en disant « les jeunes », comme si nous étions semblables parce que nous avons le même âge. C'est ridicule. Beaucoup de ceux qui sont réfractaires à mes idées ont mon âge, ou peu s'en faut, et beaucoup également m'appuient et ont l'âge de mes parents. Aussi je ne présente pas mes idées comme étant celles d'un groupe particulier de personnes; je ne blâme personne en particulier non plus. On tombe trop souvent dans le piège consistant à blâmer sans réfléchir ceux qu'on appelle les *baby-boomers*. Ils ne sont pas plus coupables que les autres; ils ont eu leurs difficultés, j'aurai les miennes, voilà tout. Ils ont voulu bien faire; s'ils ont manqué leur coup, on peut les blâmer, mais alors il faut blâmer également tous ceux qui, depuis, œuvrent dans le même sens. Je ne vois pas très bien ce que cela donnerait et je refuse de faire en sorte que les gens se sentent coupables, car on me l'a fait trop souvent. Cependant, il me semble essentiel que chacun accepte sa part de responsabilité dans ses actions et ses absences d'actions. Ce n'est pas blâmer, c'est être réaliste.

On associe aussi jeunes et génération X. Qu'on m'explique d'abord ce que l'on entend par le terme « génération X ». S'il désigne une attitude *no future*, je ne fais pas partie de ces gens. S'il signifie génération indéfinissable parce que composée d'individus trop différents, alors je suis d'accord, bien qu'il me semblerait préférable de cesser ces étiquetages de générations, pourtant bien ancrés dans notre mentalité. Ainsi, quand mes lettres ont été publiées, on a qualifié toute « ma génération » de grands flancs mous, de geignards, d'imbéciles presque. Généraliser à partir d'une seule personne, c'est tomber bien bas.

Je ne propose pas non plus une analyse politique, sociologique ou de quelque nature que ce soit. Certains ont semblé dépités du « manque de profondeur de mon analyse ». J'espère bien : ce n'en était pas une ! Je n'ai fait que donner mon opinion, comme je continue à le faire. Si une analyse est nécessaire, elle suivra; je n'ai pas, pour le moment, de si grandes prétentions. Si certaines personnes ont vu dans mon commentaire une volonté de faire une analyse digne d'une thèse de doctorat, elles devraient apprendre à lire, car au-delà des mots il y a bien des nuances... Je conseille aussi le réapprentissage de la lecture aux gens qui ont pris mon titre au premier degré et qui s'étonnaient de me voir bien portante. Pour eux, j'aurais dû être étendue sur un lit d'hôpital, dans un coma profond et nourrie par des tubes entrant un peu partout dans mon corps. Toutes les subtilités de la langue, qu'ils croient bien maîtriser, leur échappent.

Je n'ai jamais prétendu que mes idées étaient neuves, je ne fais que dire ce que l'on préfère oublier ou taire. Ce manque de nouveauté, on m'a reproché. Pourtant Molière, lui, plagiait allègrement Plaute et bien d'autres encore, et personne ne le lui reprochait. Les temps ont changé : aujourd'hui on veut du neuf, toujours du neuf, à tout prix. On veut être surpris, étonné. Alors que les Grecs de l'Antiquité passaient des journées entières au théâtre à écouter des histoires qu'ils savaient par cœur, de nos jours, on utilise le manque de temps comme prétexte à notre manque de profondeur et à nos problèmes de concentration.

Si je répète ce que vous savez déjà, ne cessez pas de lire parce que c'est inutile; demandez-vous plutôt pourquoi, encore maintenant, on a besoin de dire ces choses. Pourquoi au fond rien n'a changé depuis la Révolution tranquille. Je n'ai pas de réponses, mais je sais une chose : c'est notre faute à tous.

Lettre publiée dans *Le Devoir* le 30 août 1994

C'est inévitable : tous les quelques mois, un sujet refait la manchette. Vous verrez, ça reviendra d'ici le 12 septembre. D'après tel ou tel sondage, les jeunes anglophones du Québec songent sérieusement à quitter la province d'ici cinq ou dix ans. On s'étonne, on est choqué de la nouvelle, on cherche des raisons et des solutions. Seulement on ne demande pas aux jeunes francophones ce qu'ils en pensent. Jamais on ne leur demande ce qu'ils veulent faire plus tard, où ils veulent vivre. Dans la mentalité collective, ces jeunes sont nés au Québec et, comme ils ont ici leurs racines, ils y mourront aussi. On crée autour d'eux un ghetto provincial dont les murs s'élèvent aussi haut que la bêtise humaine. Pourquoi ne leur demande-t-on pas, à eux, s'ils désirent ou non quitter le Québec ? La réponse pourrait surprendre.

J'aurai bientôt dix-neuf ans. Je suis née ici, j'ai grandi ici. Je commence en septembre un cours universitaire en droit. Voulez-vous savoir de quoi je rêve ? (Car oui, on peut encore rêver.) Eh bien, c'est simple : je rêve d'une grande maison, d'un enfant, d'un chien, d'un bon emploi et d'un bon salaire. Rien de plus banal. Mais mon rêve ne se réalisera pas au Québec. Oui, comme mes camarades anglophones, je veux partir. Pour les États-Unis, pour l'Europe, pour n'importe où, mais surtout ne pas rester ici.

Je ne pourrais pas expliquer clairement pourquoi je veux partir, du moins pas sans offenser la majorité de la population. Je me sens simplement étouffer. On dit que la population du Québec est vieillissante. Je le crois, car je suis jeune et j'ai la vie devant moi, mais je me sens si vieille... Je vous l'ai dit, j'ai encore des rêves, mais mes idéaux ont fondu vers l'âge de quinze ans. C'est trop tôt. Je ne crois plus en l'intelligence humaine, car j'ai vu trop d'imbéciles être pris pour des génies. Je ne crois plus que le Québec sera un jour indépendant. Pourtant, cet espoir a longtemps été pour moi comme une promesse d'air pur, de renouveau. J'ai compris que rien ne changera, car les gens d'ici sont comme ça. Indécis. Et pas très fiers d'eux. Alors je regarde vers le sud et je me dis qu'on peut dire tout ce qu'on voudra contre les Américains (oui, ils sont fous, violents, tout ce que vous voudrez), mais on ne peut leur enlever leur fierté. Et nous ? Que penser de nous ? Je vais vous le dire. Nous sommes des Québécois d'occasion. Le 24 juin, on sort les drapeaux et tout le tralala, les chansons de Vigneault, les vieilles chansons de Piché, mais que reste-t-il de tout cela le 25 ? Je vous le demande. Je ne fête plus la Saint-Jean, je trouve ça trop triste.

Il y a, bien sûr, des gens de mon âge que la politique intéresse. Je ne les comprends pas. Sur le plan théorique, oui, la politique m'intéresse, mais dans la pratique, la campagne électorale me fait bâiller. J'aurais une idée pour améliorer le tout : j'interdirais à tous les candidats de parler de leur adversaire pour le critiquer. Ils ne parleraient plus du tout. Car à quoi bon critiquer l'autre quand on pourrait parler des idées qu'on défend plutôt que de celles qu'on désapprouve ? Peut-être que si les politiciens se taisaient plus souvent, on pourrait distinguer du reste le peu de vérité qu'ils laissent passer.

De toute façon, la politique se résume au charisme du chef de parti. C'était vrai pour René Lévesque, c'était vrai pour Pierre Elliot Trudeau. Enlevez aux chefs leur charisme et vous obtiendrez un débat comme celui qui se déroule en ce moment au Québec. Les gens s'efforcent seulement de choisir le chef qu'ils détestent le moins. Ce n'est pas évident.

Si les libéraux gagnent, c'est le *statu quo*. Il n'y a pas d'emplois, pas d'argent et le déficit ne diminue pas. Si le Parti québécois gagne, alors c'est la guerre. Il n'y aura pas plus d'emplois, pas plus d'argent et sûrement pas moins de déficit. Seulement ce sera la guerre. À grands coups de terreur et de « vous n'aurez plus de pension », les fédéralistes vont frapper. Les « séparatisses », comme dit notre premier ministre, vont se défendre comme ils le pourront. Mais en vain. Et nous serons le premier peuple dans toute l'histoire de l'humanité à refuser deux fois (en quinze ans !) de nous prendre en main. J'ai honte rien que d'y penser.

En 1839-1840, Lord Durham a fait un rapport sur le peuple francophone. Selon lui, les Anglais, envahisseurs, n'avaient qu'à attendre et les francophones disparaîtraient. Le clergé a déjoué leurs plans, en encourageant l'ignorance et la multiplication des croyants. Je simplifie, mais enfin l'essentiel y est. Je ne sais pas si le clergé nous a vraiment rendu service. Il nous a laissé ce sentiment d'infériorité par rapport au monde entier, et à force de se croire imbécile, on le devient.

Bien sûr, la langue française, grâce à tout cela, a survécu en Amérique du Nord. C'est ce qu'on dit. Pourtant, j'ai rencontré récemment une jeune adulte québécoise qui avait passé plus de douze ans sur les bancs d'école et qui ne pouvait pas faire la différence entre un auxiliaire être et un auxiliaire avoir. J'ai encore eu honte. Cette fois-là de notre système d'éducation qui a tellement négligé la lecture qu'il a créé des monstres incapables de penser ou d'analyser la phrase « Fido est beau ». Et pourtant, je me dis qu'on ne peut tout attendre du système. Une certaine curiosité intellectuelle est nécessaire pour compléter l'enseignement obligatoire. Je suis incapable de vous dire pourquoi, mais cette curiosité est rare. Rare mais pourtant essentielle.

Je ne me sens pas la force de tout changer. Je sais que, sous une forme plus ou moins cachée, on me le reprochera. Déjà, quand je parle de partir vivre ailleurs, les sourcils se froncent : on ne me comprend pas. C'est la mentalité des *Belles-sœurs* : si quelqu'un semble avoir la capacité d'aller plus loin que les autres, on le retient. Belle mentalité. Digne des temps les plus sombres du Moyen Âge.

Partir ne changera rien pour le Québec, mais ça améliorera ma vie. Dire à tout le monde que je rêve de partir ne changera rien non plus. Seulement, je ne suis pas seule. Je ne crois pas qu'il y ait quelque chose à faire pour empêcher l'exode progressif de la jeunesse, qui suit celui des artistes (dois-je rappeler que Robert Lepage a été ignoré à Montréal avant d'être connu dans le monde entier ?) et celui des retraités aisés (qui fuient en Floride un climat dont je ne veux même pas parler). Il n'y a qu'à attendre, car tout est déjà commencé : le Québec se dessèche peu à peu, se vide de son sang. Qui paiera les pensions des derniers survivants ?

Lettre publiée dans *Le Devoir* le 27 septembre 1994

J'en ai marre. J'ai dit assez haut que je voulais quitter le Québec. J'ai dit que la politique ne menait à rien, que je ne me sentais pas la force de tout changer. Comme je l'avais prévu, on me l'a reproché. Je vais donc cesser de dire ce que je sens et je vais l'expliquer.

On m'a dit que j'étais défaitiste, pessimiste. Je mets au défi quiconque me le dit : prouvez-moi, avec des faits concrets, que j'ai tort. Le Québec est en train de mourir, parce que les gens s'abrutissent peu à peu. Les valeurs que je préconise, le savoir, le développement intellectuel, ne se retrouvent pas ici. La culture n'attire que les gens aisés, car on n'apprend pas aux autres à l'apprécier. Ne me dites pas que c'est comme ça partout. Le théâtre balinais, qui fascinait tant Artaud, est un théâtre du peuple, un art qui rejoint la spiritualité vers laquelle ce peuple est tourné. Les « gens ordinaires » d'ici, eux, se tournent vers le théâtre d'été, vers l'humour facile qui ne véhicule rien, mais qui comporte le grand avantage de ne pas faire appel à la cervelle. Si la culture se perd, si les théâtres crèvent, on blâme le système d'éducation, qui n'apprend pas le français aux jeunes. Cessons de chercher des excuses : si le français se perd, c'est que les Québécois ne se donnent pas la peine de l'apprendre. Et qu'on cesse également de mettre la faute sur nos dirigeants. La culture ne dépend pas de la politique, elle dépend des gens. Ce sont les gens qui la font, ce sont eux qui la boudent, ce sont eux qui la font mourir.

On m'a dit que l'herbe n'est pas plus verte ailleurs. Pourtant, dans certains cas, elle l'est. Bien sûr, l'économie est en crise dans le monde entier, mais la majorité des peuples ont une identité. Contrairement aux Québécois, ils savent qui ils sont, et ils cessent de se préoccuper de la question. Ici, on ne sait pas, on hésite. Un peuple qui ne se connaît pas est un peuple complexé, sans confiance en lui-même. Un peuple qui ne va nulle part.

On a compris mon message comme étant un message politique. En un sens, c'est vrai, car la politique est au cœur de tout, mais ce n'est pas elle qu'il faut blâmer quand les choses vont mal ni elle qui change les choses. Il faut cesser de prendre les politiciens pour des sorciers. Au fond, ils sont forcés de dire ce que les gens veulent entendre. Il ne faut pas se leurrer, la politique est un concours de popularité, et pour le gagner, les politiciens se doivent de refléter l'opinion publique. C'est donc dire que seul un changement dans la population provoque un changement politique et jamais le contraire. C'est pour cela que voter pour l'un ou pour l'autre ne changera rien, car si le dirigeant change, le peuple, lui, reste le même, avec les mêmes doutes et les mêmes paresses. Il a un grand pouvoir, mais préfère ne pas s'en servir. Le peuple québécois est un grand enfant qui refuse de vieillir. On lui met sa vie entre les mains et il décide de laisser faire plutôt que d'accepter les conséquences de ses choix. Maman l'aime bien, mais elle commence à être exaspérée par ce rejeton qui se jetterait dans une rivière pour ne pas être mouillé par la pluie. Et imaginez le ridicule si maman-Canada jetait dehors son enfant, le forçant à devenir ce qu'il est… Reviendrait-il pleurer dans ses jupes ? Ne comprenez pas à mon discours que je suis une féroce indépendantiste. Au contraire, je n'y crois plus, et je préférerais qu'on cesse d'en parler plutôt que de se couvrir à nouveau de ridicule. C'est le compromis qui, politiquement, tue le Québec. Qu'on se décide, pour de bon, dans un sens ou dans l'autre et qu'on cesse alors de parler de la seconde option.

Dans un article paru le 24 septembre dernier, M. Pascal Brissette disait justement qu'il est simpliste de croire que l'indépendance sera un remède à l'exode des jeunes et des moins jeunes. Effectivement, c'est une illusion. Oui, le projet du Parti québécois redonnera espoir à certains, mais il ne comblera pas les lacunes profondes dont souffre tout un peuple. Les Romains avaient du pain et des jeux. Nous avons un projet de souveraineté un peu essoufflé. Dans les deux cas, le même résultat : le peuple est distrait, et il oublie momentanément qu'il a vraiment faim. Le prochain référendum occupera les esprits. Et imaginons un instant que le Québec devienne souverain… Le « projet de société » de M. Parizeau nous occupera tous. Mais ensuite, dans dix ans, serons-nous plus ouverts, plus intéressés par la connaissance ? Non. L'apparence aura changé mais, encore une fois, le contenu, l'essence même du Québec seront les mêmes. L'indépendance devrait venir au bout d'un processus de croissance dans la mentalité de l'ensemble de la population. On nous la propose plutôt comme solution miracle, alors qu'elle n'est encore qu'une façade sans fondations et sans rien derrière pour la soutenir.

Puisque l'on me parle sans cesse de politique, je vais le dire carrément : j'ai annulé mon vote. J'allais voter pour le Parti québécois, en me disant : « On ne sait jamais, cela clora peut-être le débat… » J'ai changé d'idée lorsque M.

Parizeau a parlé de retirer les frais de 50 dollars pour les cégépiens ayant cumulé cinq échecs ou plus. Je ne suis plus au cégep. La situation ne devrait donc pas me toucher. Cependant je n'ai pas échoué un seul cours durant mes deux ans au cégep, car j'ai travaillé. J'ai travaillé pour moi, parce que je voulais réussir et apprendre. Je ne vois pas pourquoi ceux qui ne font pas le même effort ne seraient pas pénalisés. Le cégep n'est pas obligatoire : c'est un choix que l'on fait de s'y inscrire. Ce choix devrait comporter une certaine volonté de dépassement de soi. Les gens qui sont au cégep pour s'amuser et qui cumulent les échecs m'ont retardée, moi, car le cours devait être à leur portée alors que je pouvais aller plus loin. C'est là tout le problème du Québec. On pratique le nivellement par le bas. On aide les plus faibles sans encourager le potentiel des plus forts. C'est un choix social qui a pour conséquence directe l'exode des « cerveaux ». Je ne dis pas qu'il faut cesser d'aider les autres, non, mais il faut cesser de négliger ceux qui veulent apprendre. Je sais bien que M. Parizeau a fait cette promesse pour se gagner les cégépiens et qu'il ne la réalisera probablement pas. Mais le fait seul qu'il ait pensé à cette promesse me dégoûte. L'ignorance est reine au Québec, mais faut-il la faire déesse ?

On a érigé, au fil des ans, un système très élaboré, qui permet de toujours avoir quelqu'un, autre que soi, à blâmer en cas de pépin. Nous sommes tous de grands enfants gâtés. Même les plus lucides d'entre nous s'y laissent prendre. Le gouvernement, le système d'éducation, nos parents (toujours eux), les leurs et leurs ancêtres avant eux, nous les invoquons cent fois par jour. Nous les mettons au banc des accusés et les condamnons sans possibilité d'appel. Ce sont eux qui ne nous ont pas appris à écrire, eux qui ne nous gouvernent pas de la bonne façon, eux encore qui font piétiner le Québec. Quelqu'un peut-il me dire à quel âge on devient adulte dans ce pays ? Ne vient-il pas un jour où chacun doit accepter qu'il est maître de son existence ? Oui, on nous a légué des tares et des complexes, mais n'est-ce pas à nous de les voir et de les corriger ? On dirait que personne n'y a pensé…

Je ne suis ni défaitiste ni pessimiste. Je constate, simplement, l'état des choses qui m'entourent. Le Québec ne répond pas à mes besoins. Je prendrai ce qu'il m'offre de bon et j'irai chercher le reste ailleurs. C'est une illusion de croire que dans une seule vie, je pourrais changer les choses ici. Une mentalité ne se change qu'avec des siècles de labeurs. Et je n'ai pas non plus cessé de me battre. Au contraire. Seulement j'ai choisi ma cause. Et mon bonheur passe avant les intérêts d'un pays qui refuse d'en être un.

PREMIÈRE PARTIE : RÉPONSES

Après la parution de ces deux réflexions, un grand nombre de gens, de tous âges et de tous milieux, ont tenu à réagir. Plus d'une soixantaine de réactions me sont parvenues, dont une quarantaine par le biais des journaux. Dans ces lettres, trois tendances : ceux qui me traitent de tous les noms, ceux qui m'appuient et ceux qui, avec davantage de recul, sourient et me disent que beaucoup, avant la Révolution tranquille, pensaient exactement comme moi, qu'au fond, mon constat est normal et peut mener à de bons résultats.

Toutes ces réactions démontrent bien que j'ai mis au jour un certain malaise que l'on tente, tant bien que mal, de cacher. Ceux qui nient cette réalité n'auraient même pas réagi s'il s'agissait d'illusions que je suis seule à voir. Après avoir prohibé, il y a des années, l'alcool, on prohibe maintenant les idées différentes de celles de la majorité, qui, pour être silencieuse, n'en est pas moins étouffante. Je me demande, surtout, d'où vient ce besoin de me convertir à tout prix. Si, comme on l'a dit, j'ai tort sur toute la ligne, alors je dois être seule, et il ne sert à rien de me faire changer d'idée : je ne menace personne. Je serai franche : j'accuse de mauvaise foi ceux qui disent que ce que je décris ne correspond pas à certaines facettes de la réalité. Et il y en a. On m'a accusé de démissionner devant les difficultés. Ici, on pourrait aussi dire « faire un choix controversé », car dès que quelque chose dérange, on le traite de tous les noms, comme si cela pouvait changer quelque chose.

Je suis encore surprise de tout ce qui a été dit. Je pensais encore, le 29 août, que mon constat sur la société québécoise était compris et partagé par la majorité. Après tout, je ne vois pas pourquoi on refuserait d'admettre qu'il existe des imbéciles, que notre niveau intellectuel baisse à cause de notre laisser-aller et que rien ne semble indiquer que la situation va s'améliorer. C'est que je ne savais pas encore à quel point les humains manquaient de lucidité.

On appelle aussi mon choix une fuite. Impossible de savoir pourquoi, cependant. C'est un réflexe : ne pas croire au Québec, c'est fuir. Vouloir vivre ailleurs, ce n'est pas une préférence, c'est fuir. Refuser de perdre son temps pour une cause perdue, c'est fuir. On ne se pose pas davantage de questions, on a une réponse toute prête à fournir à la moindre occasion. Et on dit que c'est moi qui choisis la facilité… Les souverainistes convaincus ont aussi un autre réflexe : taxer de fédéraliste tout questionnement sur le Québec et son supposé « besoin » d'indépendance. De ce côté-là, au moins, je suis bien certaine d'avoir du recul et de ne pas me laisser emporter par la passion; aussi mon point de vue mérite au moins qu'on s'y arrête. Le recul est une habitude à développer, et elle nous fait cruellement défaut, surtout en politique. Je ne suis pas fédéraliste parce que je ne penche plus du côté de la souveraineté. On refuse pourtant la possibilité de l'existence d'un juste milieu.

Tout d'abord, beaucoup de gens ont sombré dans un lynchage irrationnel. Au lieu de me prouver, concrètement, que j'avais tort, on m'a traitée de petite fille gâtée qui fait des menaces. À partir des quelques choses que l'on savait sur moi, on a fait des extrapolations rocambolesques. On a déduit que j'étais riche, ou du moins de milieu très aisé, que j'avais une vie parfaite. Cela expliquerait, pour certains, que je me plaigne du niveau intellectuel vacillant qui règne plus souvent qu'autrement ici. C'est une belle façon d'excuser sa propre paresse : MOI, j'ai d'autres problèmes, alors MOI, je ne m'en fais pas pour ma cervelle qui s'amollit doucement. MOI, je n'ai même pas le temps de faire ces petites réflexions. On cherche toutes les petites choses qui pourraient me marginaliser afin de mettre la plus grande distance possible entre les autres et moi. C'est pourtant peine perdue, car peu importe les éventuelles différences, nous sommes humains et donc perfectibles. Le choix de le faire ou non revient à chacun et toutes les excuses sont inutiles : tout est question de priorités. En dehors de situations extrêmes, chacun établit ses priorités. C'est le hockey ou un livre, un téléroman ou un film classique, les vacances sur la plage ou au musée. Le budget peut s'adapter et tous les goûts peuvent être satisfaits, aussi ces excuses faciles tombent-elles d'elles-mêmes.

On a oublié les idées que j'avançais pour se concentrer exclusivement sur ma personne, d'une façon tout à fait gratuite. A-t-on été tellement frustré de ne pouvoir me démontrer mon erreur que l'on a essayé de me décourager de recommencer (et avec moi tous ceux qui, m'ont-ils dit, ont trouvé dans mes réflexions les mots pour exprimer leur pensée) ? Je ne sais pas. J'ai découvert que poser des questions qui dérangent, au Québec, n'est pas bien vu. On a sauté sur la moindre broutille pour démolir mon opinion. On a critiqué mon style, mon âge, mon prétendu milieu social (sans me connaître, bien sûr), mon égoïsme (j'en reparlerai), mon mépris, ma naïveté, tout, mais pas les faits que j'avançais ni mes arguments. Dénigrer la personne est bien plus facile que d'étoffer ses idées suffisamment pour contrecarrer celles qui nous déplaisent. Et l'humain choisit la facilité. Seulement il est temps, à un certain âge ou à un certain niveau de développement, de prendre conscience de cette tendance et de choisir, lorsque nécessaire, l'effort plutôt que la facilité.

Je me plains des insultes que l'on m'a adressées, c'est vrai, mais c'est parce que ces insultes sont la preuve que personne ne veut ou ne peut me répondre calmement, ce qui me convaincrait bien davantage. L'agressivité de certaines personnes me laisse songeuse... On a dit que j'étais en colère, que je faisais des menaces, mais cette rage que l'on me reproche d'avoir, on la ressent à mon endroit. Je ne sais qui, d'eux ou de moi, a le plus gros problème de ce côté...

Certains ont même été jusqu'à douter de la pertinence de l'université McGill à Montréal. Simplement parce que moi, qui ne suis qu'une étudiante parmi des milliers d'autres, j'ai parlé un peu trop fort, ils ont blâmé toute l'université, disant qu'elle ne pouvait pas former l'élite québécoise. J'ai perçu là des rancunes personnelles antérieures à mes écrits, mais cela montre tout de même jusqu'où peut aller le désir de taire le questionnement dans notre société. C'est un sacrilège qu'une jeune fille, francophone de surcroît, critique une société que l'on voudrait parfaite. Or, si vouloir que notre société soit parfaite est normal, ne pas avouer que cet idéal n'est pas atteint (et ce malgré les preuves que l'on en a quotidiennement) est faire preuve d'une mauvaise foi exemplaire. On aurait voulu que je sois décidée à me battre jusqu'à la mort pour toutes les causes bien en vue, que je ferme les yeux sur les défauts que je vois et que je ne parle que des qualités du monde qui m'entoure. En bref, on m'aurait voulue sourde, aveugle, insensible au réel, et heureuse de l'être. À défaut de quoi, on me voudrait muette.

On a sauté aussi sur le fait que je n'ai pas beaucoup voyagé. C'est vrai. Cela ne fait pas de moi une idiote pour autant. Immanuel Kant lui-même n'a jamais quitté sa ville natale et, à ce que je sache, personne n'a tenté de discréditer ses idées et ses théories pour cette seule raison.

On a loué mon courage. Sur ce point, mes détracteurs ont raison : je n'ai pas écrit par courage, car si j'avais su alors ce qui m'attendait, je me serais peut-être tue, même si, avec du recul, il est sorti de cette histoire plus de bien que de mal.

On m'a également qualifiée de défaitiste, de pessimiste. Pourtant je parle d'une réalité qui, même voilée, n'en demeure pas moins vraie. Je me dis réaliste, sans plus. Car mon constat ne m'attriste pas; je ne pense pas qu'il vienne d'une vision irrationnelle que j'ai des choses. Bien des gens s'accrochent à l'espoir, et c'est tant mieux, car il les aide à vivre. Seulement cet espoir est trop souvent engendré par la certitude qu'ils ont de devoir rester au Québec ou de ne pouvoir améliorer leur situation. Géographiquement, c'est vrai, il est plus facile pour un anglophone de s'exiler vers un milieu où il s'adaptera sans mal; le francophone, s'il veut vivre en français, doit traverser l'océan et c'est un grand pas à faire. Alors tant qu'à rester ici, mieux vaut croire que les choses s'arrangeront. Ça facilite la vie quotidienne, mais ça entretient cette idée de notre inconscient collectif : il ne faut pas s'en aller du Québec... ou alors très peu, mais il faut revenir. Si je vois les choses différemment, c'est que je suis défaitiste, me dit-on. Je nous reconnais bien là. Chaleureux, mais méfiants devant l'inconnu. Je ne me détache pas de cette étiquette, bien qu'elle me limite. Mais le Québec n'est pas tout. Ce que je dis est simple, ce n'est pas agressif. Je n'ai pas cessé de me battre, seulement, je le répète, j'ai choisi ma cause.

Le mot mépris revient souvent dans les propos des gens qui me répondent. Je plaide coupable. Non pas à l'accusation, mais j'avoue l'avoir mérité. Nulle part je n'ai spécifié, comme j'aurais dû le faire, que je considérais faire partie de ces gens que je critique. Je serais bien naïve si je croyais qu'ayant passé ma vie dans une société, j'y sois restée imperméable. Aussi quand on parle de moi en insinuant que je me considère cultivée ou intellectuelle, j'affirme que c'est faux. Mon idéal de culture est bien trop élevé pour que je me considère cultivée. J'y aspire, et c'est le mieux que l'on puisse faire, car il est impossible d'un jour tout connaître. Il faut cependant y aspirer, même si le but ne sera jamais atteint, car le poursuivre, c'est l'atteindre un peu plus chaque jour. On a dit aussi que j'étais imbue de mon excellence, snob, hautaine. Si je semble mépriser tant de gens, c'est que je tente de m'élever (pour moi et moi seule, non pas par rapport à eux, car ce serait stupide) et que je déteste le laisser-aller intellectuel auquel je suis confrontée, comme eux, et contre lequel je lutte. Ce que je combats ne se trouve pas seulement dans la société, c'est également à l'intérieur de moi; c'est pourquoi je me permets de le critiquer : je connais ce goût de la paresse et de la facilité. Ce ne sont pas les gens que je méprise, mais certaines attitudes, qui se retrouvent en eux comme en moi.

On m'a fait savoir que ce dont je rêvais était une utopie. Impossible, m'a-t-on dit, que l'ouvrier rentrant de l'usine écoute une symphonie. Impossible encore que des individus dits moyens discutent de philosophie au petit déjeuner. C'est dans ces propos que moi, je vois le mépris. D'accord, tout le monde n'a pas les moyens de poursuivre un combat éternel vers la connaissance. Cela relève malheureusement, dans notre société, de l'ordre des choses. Seulement même s'ils n'ont pas les moyens, les gens dont on m'a dit — en le cachant un peu — qu'ils ne peuvent améliorer leur condition en ont tout de même la capacité. Étant humains, ils peuvent faire autant que les autres, quoi qu'on m'en dise. Si la connaissance intellectuelle est réservée à une certaine élite, c'est parce que cette élite le veut. Si, collectivement, notre priorité était de faire partager le plus de connaissances possible, tous pourraient connaître bien davantage que ce que l'école leur enseigne jusqu'à seize ans, âge où bien des jeunes doivent abandonner les études par obligation ou le font par manque de motivation. C'est bien normal : ni l'amour de l'école ni celui de la culture ne sont véhiculés par l'ensemble des gens, d'où des étudiants amorphes, qui découragent les professeurs, qui à leur tour et bien malgré eux, sont la cause du décrochage intellectuel des quelques étudiants qui étaient prêts à suivre. Seulement l'école de qualité n'est pas une priorité, car ceux qui auraient les moyens de la réaliser la préfèrent pour eux seuls. Le riche aime le pauvre ignorant et encourage cette ignorance; l'esclave qui ne voit pas qu'il pourrait être libre ne se révolte pas, car il n'en voit pas le but. « On méprise ceux qu'on veut maintenir dans l'ignorance et la médiocrité. »[1] C'est ce mépris qui sous-tendait, bien insidieusement, certaines des réponses que j'ai reçues et où, plus loin, bien sûr, on

---

1. Association québécoise des professeurs de français, *Le Livre noir*, Éditions du Jour, 1970, p. 17.

m'accusait de faire preuve de mépris parce que j'avais osé critiquer. Au contraire, je déplore le fait que personne ne se donne la peine de s'élever, car il est nécessaire à un pays — d'autant plus qu'il tente de s'affirmer — d'avoir des gens bien formés et capables de réfléchir. Or l'éducation et la culture sont des outils qui mènent à cette réflexion, mais, quand je les propose comme valeurs non pas premières mais fondamentales de notre société, on me dit que je méprise les gens. C'est donc trouver les gens méprisables que tenter de les réveiller et de leur expliquer qu'ils doivent, dans leur vie, se prendre en main. J'aurai tout entendu. Les bien-pensants me disent de laisser les gens tranquilles, car ils n'ont ni le temps ni la force de penser. Ils créent une situation de scission entre une élite qui a non seulement le pouvoir (entendez ici l'argent), mais également toutes les connaissances (alors que les deux sont dissociables) et une population qui dort, amorphe. Je voudrais les réveiller et ils me lancent des briques. Attention, je ne me présente pas en sauveur de la nation; je voudrais seulement que l'on comprenne que ceux qui accusent de dédain les autres sont parfois les plus méprisants. Après tout, ils ont leur puissance à défendre et la meilleure défense est, à ce qu'on dit, l'attaque.

J'ai parlé de culture, de connaissances et de savoir. Si je n'ai pas défini ces termes, c'est que je ne suis pas capable de le faire : mes idées là-dessus sont en gestation, mais elles n'en sont pas moins vivantes. Même si je ne les ai pas définies, on a cru bon de le faire pour moi, à travers la compréhension plus ou moins fidèle que l'on avait de mes écrits. La conclusion a été que je concevais la culture d'une manière élitiste et puriste; j'estime, a-t-on dit, que la connaissance du type génies-en-herbe est la vraie culture. Or je n'ai jamais dit que la culture était une accumulation brute de données. Seulement pour atteindre un plus haut niveau de savoir, il faut, je crois, commencer par ces données, et, ensuite, les « digérer » y réfléchir de la façon la plus ouverte possible. La culture n'est pas un tas informe de faits et de dates, mais c'est souvent de là qu'elle naît. Je ne crois pas non plus la voir de façon monolithique : tout peut être savoir; je ne limite pas mes aspirations culturelles à la littérature ou aux arts seuls, je voudrais TOUT savoir. C'est pourquoi je pense que l'accomplissement de soi se trouve dans le fait de tendre vers cet idéal, même si on ne l'atteint pas. On s'est entêté à faire de moi une grande puriste : il ne fait aucun doute, pense-t-on, que je méprise les films et la culture américaine. Rien de plus faux ! Les Américains, comme les autres, font de bonnes choses. Et si on se limite à ne parler que de leurs comédies qui se ressemblent toutes, dit-on, eh bien elles ont au moins le mérite d'être divertissantes. On a beau chercher la perfection, il faut aussi savoir se détendre. Je ne refuse pas toute facilité, mais il faut veiller à ce qu'elle ne devienne pas une fin en soi.

On m'a dit que je confondais éducation et culture. Il est vrai que je les associe, car elles ne peuvent être complètement séparées, mais elles ne sont pas synonymes, je le reconnais. Il est vrai, bien sûr, que l'on peut être éduqué sans être cultivé, et vice versa. Seulement, dans une société comme la nôtre, où ni l'éducation ni la culture ne sont valorisées, il serait nécessaire que l'éducation aide à promouvoir un certain désir de culture et de connaissances générales. L'école ne peut tout apprendre à quelqu'un, mais elle devrait avoir le mandat — et le respecter — de donner aux étudiants le goût d'aller plus loin. L'école suggère, donne un avant-goût des possibilités qui s'offrent aux étudiants, puis c'est à eux de décider ce qu'ils feront. C'est ce qui se passe aujourd'hui, mais à une échelle tellement réduite que c'en est ridicule. La culture n'est pas l'éducation, mais l'éducation est le meilleur moyen de promouvoir la culture.

On m'a dit aussi que mes raisons pour annuler mon vote (la promesse de Jacques Parizeau d'éliminer les frais pour les échecs répétitifs au cégep) ne relevaient pas d'une analyse politique poussée. Et alors ? C'était, au moins, une prise de position face à un parti qui, pas plus que les autres, n'est parfait. Beaucoup de gens votent sans y penser, ce qu'on leur reproche amèrement; ce n'était pas mon cas. Je prends, face à ma décision, toute la responsabilité. En toute conscience, je ne pouvais accepter, en votant pour le Parti québécois, de donner mon assentiment à une pratique aussi douteuse, à un encouragement à la paresse aussi visible. Une grande analyse n'était pas nécessaire face à une promesse électorale aussi idiote. Je sais par expérience qu'un minimum d'effort et d'attention assure un succès, même modéré, à la majorité des cours collégiaux. Beaucoup d'électeurs ne se préoccupent pas de la question, ou ne connaissent vraiment pas les faits, mais je ne pouvais souscrire à un tel éloge de la bêtise.

Quant à l'égoïsme dont on m'accuse, je le trouve bénéfique. Car ce qu'on appelle ici égoïsme est le choix de se permettre de passer avant les autres. Ce n'est que réalisme. J'en ai marre de l'hypocrisie des gens qui se prétendent altruistes avant tout. Si on donne à plus pauvre que soi ou si on rend un service, c'est, fondamentalement, parce que cela nous fait plaisir à nous. Si une personne se dévoue pour son pays, c'est parce qu'elle y trouve un sentiment d'accomplissement qui lui procure du bonheur, non pas parce qu'elle s'efface devant l'intérêt collectif. On dit parfois qu'un bébé n'est qu'égoïsme : il veut que l'on subvienne à ses besoins et prend les moyens nécessaires pour cela. L'adulte est aussi égoïste, seulement les plaisirs qu'il recherche sont différents et les moyens qu'il utilise, plus subtils. Les femmes, d'ailleurs, de façon générale, ont toujours voulu sauver le monde. Depuis quelques décennies, elles s'accordent enfin le droit de penser à elles-mêmes sans ressentir de culpabilité, aussi il est nettement rétrograde de taxer aujourd'hui ma franchise d'égoïsme malsain.

On a rapproché cet égoïsme d'un refus de se greffer au corps social, ce qui est, aux dires de certains, absolument inacceptable. Je comprends par là qu'il me faudrait, pour le bien commun, me fondre le plus possible dans la masse, me taire et en être contente. Qu'est-ce donc que ce corps social ? Un ramassis amorphe de gens endormis, d'institutions boiteuses, de problèmes insignifiants dont on parle sans jamais aborder les vrais. On m'a d'ailleurs fait savoir que j'avais tort d'être aussi individualiste, tandis que d'autres ont déploré le manque d'individualisme des Québécois; il faudrait savoir...

Je fais preuve d'un désengagement social mons-trueux, dit-on. Ici, on fait surtout référence au fait que je ne crois plus à notre chère politique québécoise. Tout de suite, on comprend que j'ai tort : il FAUT se battre pour son pays, se baigner dans la vague du *politically correct* ou, sinon, se taire et faire semblant de ne pas exister. On ne se pose pas la question pendant deux secondes : a-t-on raison de croire à l'âge adulte du Québec ? A-t-on besoin de la souveraineté ? En a-t-on besoin maintenant ? Et pourquoi ? L'action politique mène-t-elle à quelque chose ? Est-ce qu'il n'y a pas des tonnes de petites actions concrètes à porter qui changeraient la vie de petites gens, et cela n'est-il pas bien plus important qu'une souveraineté qui ne ferait que changer l'étiquette du Québec ? Je voudrais croire en l'indépendance québécoise. Je voudrais avoir des motifs rationnels pour y croire. Seulement pour la plupart des gens, c'est un choix qui, venant souvent d'un rêve, n'est même pas le leur, et ils ne peuvent l'expliquer. Cela en soi n'est pas mal, mais quand l'argent manque et que l'incertitude politique peut nous priver des quelques luxes que l'on peut encore se permettre, les idéaux et les rêves s'envolent. L'homme, seul dans l'isoloir, a peur. Et c'est bien normal. Seulement si sa conviction politique était rationnelle, il aurait pesé le pour et le contre et aurait décidé de faire certains sacrifices; dans l'isoloir, il déciderait en toute connaissance de cause.

Le choix de rester dans le Canada, en général, n'est pas davantage réfléchi. C'est la sécurité, les Rocheuses, la pension, mais on ne va pas plus loin. Il y a bien des raisons à ce manque de profondeur politique, mais elles se résument à l'ignorance généralisée des faits, en partie par paresse et en partie parce que certains faits sont tus par les politiciens ou autres gens qui prêchent pour leur paroisse. Des exemples ? On a parlé pendant des années de la Constitution canadienne, mais seulement un infime pourcentage de la population s'est suffisamment intéressée au problème pour aller voir par elle-même ce dont on parlait. Pourtant de nombreux ouvrages existent sur la question. Autre exemple, les fameuses études sur les coûts de la souveraineté, que l'on refuse de rendre publiques, ou qui sont réalisées par des gens qui sont loin d'être neutres. D'une façon ou d'une autre, personne n'a tous les faits, donc personne n'est en mesure de prendre une décision éclairée. On me répondra qu'il est normal que l'indépendance d'un peuple s'acquière à cause d'un mouvement du cœur et des tripes. C'est vrai. Mais généralement, les pays atteignent l'indépendance à la suite d'une grave crise. Ce qui détermine les actions de grande importance n'est pas, comme on me l'a dit, l'optimisme, c'est l'urgence, la nécessité. Ici, il n'y a ni famine, ni guerre, ni régime oppresseur (malgré ce que certains souverainistes pensent). C'est ainsi que les gens sont extrêmement divisés. Il n'y a aucune urgence, donc rien qui causera une action d'éclat menant à la « libération du Québec ». C'est pourquoi, à défaut de mouvement de l'âme, la souveraineté d'ici pourrait se faire par la raison.

On a aussi trouvé mesquin de ma part d'avouer étudier ici en partie à cause des frais de scolarité qui, malgré tout ce qu'on en dit, restent plus bas qu'ailleurs. On a poussé de hauts cris. C'est intolérable, dit-on, j'abuse du système ! Cette attitude est d'une hypocrisie aberrante. Tous, je répète, tous « abusent » de notre système. Tous ceux qui ont déjà acheté la moindre broutille sur le marché noir, tous ceux qui ont déjà travaillé sans le déclarer à l'impôt, tous ceux qui, après s'être fait voler, ont réclamé un petit peu plus à leur compagnie d'assurance, tous abusent du système. Qu'est-ce que c'est que cette pudeur de vierge offensée tout d'un coup ? C'est dans la nature de l'homme d'en vouloir le plus possible pour son argent ou pour sa sueur, et les scrupules dont beaucoup se targuent ne résistent pas longtemps devant la possibilité de gagner plus que son dû en étant certain de ne pas se faire prendre. Il ne sert à rien de s'en offenser. Cela ne fait que démontrer l'aveuglement dont les gens font preuve face à la réalité, que ce soit la leur ou celle de leurs voisins.

D'ailleurs beaucoup de personnes en viennent à ne voir de la réalité que ce qui se trouve droit devant eux; s'ils œuvrent dans un champ spécifique, ils ne voient rien sans le teinter de leur réalité. Cela frôle la perte de tout sens critique. Ainsi, un étudiant en études littéraires, faisant référence au passage de ma première lettre où je comparais certaines attitudes québécoises au Moyen Âge, m'a répondu que j'avais tort. Je devrais, selon lui, vérifier mes sources, car au Moyen Âge, les actes de courage étaient encouragés dans l'amour courtois. J'avais signifié, au contraire, qu'on y étouffait les tentatives d'épanouissement personnel. Avant d'inviter quelqu'un à réviser ses sources, il faut être certain des siennes. Or, baser sa conception du Moyen Âge sur l'amour courtois, c'est comme si, dans mille ans, les historiens parlaient de notre temps en se basant non pas sur la réalité que vit la population, mais bien sur les romans de type Harlequin. Courtois; le mot le dit : de la cour. Or les petites gens étaient bien loin du luxe de la cour. La réalité n'est pas la littérature. La réalité est faite d'une multitude de points de vue différents, et ne la concevoir qu'à partir d'un domaine est très réducteur.

Quoi qu'il en soit, la majorité des réactions venant de gens en désaccord avec moi consistait en insultes sans fondement, d'insinuations mesquines et de commentaires gratuits. Le désaccord, semble-t-il, ne peut être vécu ici sans affrontement. Après nous être libérés de notre image de petits catholiques bien gentils et bien silencieux, nous devrions peut-être apprendre la discussion. Les désaccords et les questionnements peuvent mener à de grandes choses si on ne les écarte pas du revers de la main. Peut-être est-ce là un autre signe de ce complexe que nous a donné l'Église (avec notre consentement, bien qu'il fût donné de façon inconsciente) : quand on n'est pas sûr de ses opinions, on ne veut surtout pas les remettre en question. Et ce serait pourtant nécessaire, car la discussion rationnelle mène plus loin que les coups de poignards dans le vide.

Autre chose : nous semblons vivre dans l'ère du *politically correct*. Ainsi, la plupart des lettres envoyées aux journaux allaient-elles dans le sens de ce qui est perçu comme étant correct : l'optimisme, la foi en un pays, bref tout ce qui devrait être véhiculé dans cette campagne préréférendaire... Dans les lettres personnelles que j'ai reçues, bien peu de cela. Il est plus facile de crier quelque chose quand on est certain d'être supporté par la majorité. Cela dit, je ne refuse pas de changer d'idée; j'attends simplement qu'on me prouve que j'ai tort avec des faits, pas avec des sentiments que je ne peux me forcer à ressentir. Je doute fort que cela soit possible.

Un fait assez surprenant ressort : la notion de pays semble avoir pris des proportions effarantes : tout d'un coup, tous disent se définir par rapport au lieu géographique où ils sont nés. On me dit que si je pars, j'irai dans un pays qui ne sera jamais le mien. Qu'est-ce donc qu'un pays ? Le Québec en est-il un ? Malgré le faible 40 % qui persiste à le vouloir, le chiffre dégringolant puis remontant sans cesse ? Je ne cherche pas un pays, la notion est trop abstraite et elle sert trop à cacher la réalité; je cherche plutôt un milieu, le plus étendu possible. Et je ne nie pas que le Québec sera toujours ma terre natale, mais il faut prendre du recul par rapport à cette notion, et surtout ne pas sous-estimer les capacités d'adaptation d'un humain décidé. L'homme n'est pas, à ce que je sache, cloué au sol où il est né et rien ne le force à rester sédentaire. Rien, sauf ses concitoyens qui tentent de lui cacher qu'il décide lui-même de ses limites.

On m'a ensuite reproché de généraliser, de lancer des pavés dans la mare. C'est très humain : on ne veut pas de généralisation nous incluant lorsque la catégorie n'est pas flatteuse. Ces mêmes êtres humains, pourtant, sont bien fiers lorsque qu'un athlète québécois se retrouve sur un podium olympique, et cet athlète n'est plus un simple individu : ce n'est pas lui ou elle qui gagne, c'est le Québec tout entier. Chaque spectateur dans son salon se gonfle de fierté comme s'il avait, lui, souffert de privations et de blessures et passé toute sa vie dans un gymnase, une piscine ou sur une patinoire. Et quand les présentateurs parlent de gloire pour le Québec entier, personne ne le leur reproche. Au lieu de se fâcher bêtement de mes généralisations (car j'en fais et en suis consciente, mais ne peux faire autrement), il faudrait s'arrêter et réfléchir quelques instants. L'esprit critique que tous devraient développer doit inclure un certain degré d'autocritique, qui pourrait mener à la lucidité. Peu importe si, après avoir constaté nos faiblesses, on choisit de les accepter ou d'y remédier; l'important est d'accepter qu'elles existent. L'orgueil en ce domaine est on ne peut plus déplacé.

En entrevue, on ne savait pas trop quoi me demander. Mes amis pensent-ils comme moi ? Certains oui et certains non, bien sûr. Les journalistes — et leurs auditeurs — avaient peut-être peur d'une grande révolte de la jeunesse qu'ils n'auraient pas vu venir. Si cette révolte approche, je n'en sais rien. Si je dis ne pas être seule, ce n'est pas parce que je fais partie d'un groupe qui se prépare à lancer des bombes un peu partout, c'est simplement que c'est vrai; ça n'a rien à voir avec mon âge ou celui des autres.

Beaucoup ont pensé, en me lisant, à leur jeunesse, certains me plaignant et d'autres me trouvant geignarde. Eux, quand ils avaient mon âge... C'est la sortie facile d'un débat : ils ont mis l'accent sur mon âge, façon subtile de faire passer mon message pour une crise existentielle due à mon nouvel état d'adulte. Tous les moyens sont bons pour discréditer la p'tite qui gueule trop fort. La réalité ne concorde pas avec les accusations de ces gens : des réponses me sont parvenues de gens de 17 à 86 ans, dans un sens comme dans l'autre. C'est donc dire que mes paroles touchaient des gens de tous les âges, dont beaucoup ne traversaient sûrement pas la même crise irrationnelle que celle que l'on m'attribuait. Mais, avec un peu de temps, mes charmants accusateurs auraient sûrement trouvé le pourquoi des états d'âme des plus vieux également... Je peux l'affirmer, car j'ai moi-même eu le plaisir de me faire psychanalyser par un parfait inconnu. Si je rage tant, dit-il, c'est sans aucun doute dû à une énorme peine d'amour. Je voudrais tant que le Québec soit parfait que quand je constate qu'il ne l'est pas, je veux le faire payer en lui crachant dessus et en voulant le quitter. Ainsi, tout s'expliquerait : je suis une écervelée irrationnelle qui veut se venger; je suis donc inoffensive et, comme je n'ai aucune crédibilité, on n'a plus à m'écouter. Si ça donne bonne conscience à ce monsieur, fort bien. Il n'est pas le seul, d'ailleurs, à avoir perçu ma supposée colère. Il est vrai que j'ai pu sembler en colère; tant pis. La vérité est que je voulais être entendue afin, dans le meilleur scénario possible, de réveiller quelques personnes. Je ne sais si en cela j'ai réussi, mais je sais au moins que j'ai été lue. Je tiens cependant à préciser que ma colère a été inventée de toutes pièces par des gens qui, peut-être, se sont sentis attaqués. Je suis découragée par certains aspects du Québec, et des humains en général, mais sans courroux. Je n'ai pas tant de temps et d'énergie à perdre.

Certains font d'abord le même constat que moi, puis affirment qu'il y a, dès lors, deux attitudes possibles : choisir la mienne (que l'on qualifie de défaitiste, pessimiste, tout ce que vous voudrez), ou choisir la fierté. Il est sûrement très valorisant d'être fier « de son pays », comme on me le dit, mais après avoir fait le même constat que moi sur le manque de curiosité intellectuelle ambiant, le choix de la fierté est pour le moins inconsistant... C'est bien beau d'être fier, mais de quoi veulent-ils l'être ? Cela ils ne le disent pas. D'autres prétendent que l'optimisme est un choix, comme la fierté des premiers. Je ne dis pas non, mais il me semble que le réalisme est un meilleur choix, car l'optimisme à tout prix ne mène souvent qu'à l'aveuglement. Jusqu'à preuve du contraire, je me considérerai réaliste.

D'autres m'ont rappelé les diverses réussites du Québec : les étudiants qui réussissent mieux que ceux du reste du Canada, les percées technologiques, que sais-je encore. Ils ont déploré que je ne parle pas de ces bons côtés du Québec; ils ont appelé cela « remettre les choses dans leur juste perspective ». Je ne vois pas ce que quelques réussites, quelques exploits, ou même plusieurs, changent à la réalité de la majorité. Si des chercheurs, des artistes ou des athlètes québécois connaissent du succès, tant mieux. Si les élèves sont meilleurs que d'autres dans une certaine matière, tant mieux. Pourtant c'est encore chercher la sortie la plus facile, c'est dire : « On ne peut pas être si mauvais, il y en a d'autres qui sont pires ! » Qu'est-ce que ça change ? Le peuple québécois ne devrait jamais se réconforter parce qu'il en dépasse quelques autres, il devrait penser en fonction de lui-même, comme d'ailleurs chacun de nous. Ne pas penser « je veux être meilleur que lui », mais bien « je veux m'améliorer, parce que c'est ce qui sera le mieux pour moi, peu importe où en sont les autres ». Pourtant nous sommes tellement fiers lorsque les résultats de telle ou telle étude démontrent que nos étudiants ont eu 3 %, 5 % de plus que les petits Canadiens dans une épreuve particulière que nous en oublions tout le reste, toutes ces fois où nous ne sommes même pas dans la course. Si le Québec gagne parfois, il perd aussi, alors cela ne peut être un critère servant à l'élever au-dessus de tout reproche : le Conseil des sciences et de la technologie, par exemple, a remis récemment au gouvernement provincial un rapport dans lequel il déplore le recul du Québec en enseignement des sciences par rapport à d'autres territoires. On y parlait aussi, entre autres choses, du nivellement par le bas qui se pratique ici et du manque de stimulation que reçoivent les meilleurs étudiants. Pourtant nos pseudo-victoires revenaient souvent dans les réactions qui me sont parvenues, comme si aucun problème ne venait les entacher. Cela provenait peut-être de gens qui, eux aussi, prétendent que l'optimisme est un choix, mais qui le pratiquent plutôt comme une religion apaisante et aveuglante. On peut ne voir que les bons côtés d'une situation et s'encourager avec des constatations incomplètes, comme on m'a dit de le faire en me parlant des divers succès québécois. Seulement cela ne mènera qu'à un bonheur artificiel et stérile : si nous ignorons nos faiblesses parce que nous préférons ne pas les voir, jamais nous ne serons en mesure de les contrer.

On m'a dit souvent des choses incroyables sans le savoir. Des phrases comme : « Bien sûr, le système d'éducation a des failles, mais... » Toujours ce *bien sûr* et ce *mais...* On les emploie comme s'ils ne voulaient rien dire, car les mots perdent tranquillement toute leur portée et leur capacité d'évocation, de moins en moins de gens pouvant les comprendre. Seulement ces mots-là disent bien l'étendue de notre cynisme, de notre indifférence. En une simple phrase introduisant un paragraphe m'expliquant en quoi je suis une imbécile, tout est dit. On a dit clairement, sans s'en apercevoir, que l'on acceptait l'étendue du désastre en cours dans la plupart des salles de classe du Québec (et ailleurs peut-être, je n'en sais rien). Comment peut-on accepter cet état de fait ? Comment peut-on dire *bien sûr* et passer à autre chose en m'invitant à faire de même ? Le mot *failles*, d'ailleurs, est un euphémisme choisi avec soin pour camoufler une réalité bien plus grave que quelques simples failles.

Quant au côté humain qui, m'a-t-on dit (et de façon violente), devrait supplanter l'aspect culturel et intellectuel, c'est là, il me semble, un bien faible argument. On m'a dit que la culture (au sens large) n'était pas tout, mais que la générosité, la tolérance et les autres valeurs concernant les rapports entre les gens étaient la vraie connaissance. Pourtant, nier l'un ou l'autre de ses aspects au profit du second serait nier l'essence même de l'homme qui a toujours recherché l'équilibre en tout. Bien sûr, on peut atteindre le bonheur sans avoir étudié, sans avoir voyagé, sans rien connaître. Et c'est tant mieux. Mais pourquoi s'en contenter, alors que l'esprit peut s'élever, par la connaissance, jusqu'à un niveau si haut qu'on ne peut le déterminer ? Cela n'enlève rien à « l'humanité » d'une personne. Présenter deux aspects d'un même être comme des pôles se repoussant serait nier la nature même de cet être.

Beaucoup semblent voir les choses en blanc ou en noir. Ainsi, pour eux, il n'y a que l'optimisme et le pessimisme, sans réalisme entre les deux. Et ils refusent aussi d'avoir une vision élargie des choses. On a assez de problèmes sociaux, disent-ils, alors on ne voit pas les problèmes intellectuels; on fait ce qu'on peut de ce côté-là et ça suffit. Il est déplacé, a-t-on dit encore, de parler de culture alors que l'environnement, la place des femmes dans la société, celle des minorités et la distribution des richesses sont de si graves problèmes. Encore là, on n'accepte pas que l'on puisse être consterné par plusieurs sortes de problèmes à la fois, même si, il est vrai, certains sont plus urgents que d'autres. L'accroc dans ce raisonnement, c'est que les problèmes sociaux sont érigés en bouclier. On se les donne comme excuse pour ne pas s'occuper des autres, bien qu'on ne fasse rien pour les régler, ces fameux problèmes sociaux. Et peut-être ne peut-on simplement pas les régler : notre beau système agonise, voyez-vous... Mais s'il existe une solution, elle se trouve dans l'éducation et la transmission de connaissances. Ce n'est pas une solution miracle (les solutions miracles, malgré ce que l'on nous en dit, n'existent pas), mais elle pourrait contribuer, de diverses façons, à faire avancer d'autres débats. Or, sous prétexte qu'il y a urgence ailleurs, on se désintéresse de la connaissance : on néglige les solutions futures et durables pour celles qui sont immédiates, mais inefficaces.

Souvent, tout en me reprochant la facilité de mes propos, des gens ont préféré ne pas m'expliquer leur position qui, croient-ils, est tellement juste et intelligente que c'en est évident, et je suis bien stupide de ne rien comprendre, aussi ce serait perdre leur temps que de tenter de m'expliquer. Leur « ne comptez pas sur moi pour vous expliquer » est plus facile que tout ce qu'on me reproche : c'est la meilleure façon de ne pas avoir à exprimer une abstraction, de ne pas se creuser la tête pour trouver des preuves de ce qu'ils avancent. On refuse la confrontation des idées à tout prix, c'en est presque maladif. Si ces gens refusent d'expliquer leur point de vue, on peut se permettre de douter de la validité de leurs croyances.

On m'a conseillé de respirer par le nez, de fumer un joint, de lire Malraux (ou d'autres) et d'écouter les chansons de Richard Desjardins. Où cela est-il censé me mener ? Je ne sais. J'aime bien Desjardins, mais qu'est-ce que ça change à ma vision de la réalité ? Est-ce qu'une seule chanson ou un seul livre va soudain m'illuminer, me faire comprendre mon errance ? C'est une gentille façon de me dire que mes pensées sont superficielles; certains me l'ont dit plus directement, cependant tous ont reculé devant la démonstration concrète de ce fait, alors j'attends toujours. Fumer un joint... Pourquoi ? Parce que c'est bien, pour la détente ? Oui, si j'avais du temps pour ça, oui. Pour changer mes idées sur la société québécoise (c'est ce que l'on sous-entendait) ? C'est ridicule. Respirer par le nez ? Veut-on plutôt me dire de me taire parce que je commence à déranger ? Tout ça pour dire qu'on a dit n'importe quoi simplement pour ne pas réfléchir. Ces conseils sont douteux...

Des gens m'ont félicitée d'avoir écrit mes pensées, trouvant que j'écrivais bien, que j'étais articulée. Je n'ai rien contre les compliments, bien sûr. Seulement dans ce cas-là, on me les lançait comme si c'était invraisemblable que quelqu'un de mon âge puisse avoir des idées et, plus encore, sache écrire. Et c'est moi que l'on considère méprisante !

On aime bien, aussi, parler à la toute jeune adulte que je suis en lui expliquant le monde, à grand renfort de philosophie bon marché, car il est impossible que je puisse avoir des idées intelligentes : je suis si jeune et j'aborde un sujet si tabou... Je veux bien. Mais je n'accepte pas que, dans la même envolée, on me reproche le manque de profondeur de mes arguments; soit, ils ne conviennent pas à tout ni à tous, et ils ont sûrement besoin d'être mûris, mais il est ridicule de construire un élégant sophisme lorsque c'est précisément de cela dont on m'accuse. À plusieurs occasions, d'ailleurs, on a parlé à tort et à travers, utilisant de grands mots pour me faire taire et... se trompant de vocabulaire. C'est vraiment peu impressionnant de lire un texte étoffé dans lequel se trouvent quelques mots égarés là par pédanterie.

On m'a même servi le refrain du *Phoque en Alaska*. Pourquoi pas ? Le problème, c'est que je ne veux pas quitter « ceux que j'aime », je veux bouger. Et quitter est un bien grand mot : partir n'est pas quitter; l'expérience m'a d'ailleurs appris qu'une relation peut très bien se cultiver à distance. Et puis la poésie est une chose et la vie, souvent, en est une autre. De toute façon, un extrait de chanson n'est pas un argument, mais à peine un renforcement de ce qui est dit : je pourrais répondre par un autre, mais ça ne mènerait nulle part, car on pourrait me répondre par un troisième, et ainsi de suite. Est-ce une autre forme de notre complexe d'infériorité collectif que d'emprunter les mots d'autres personnes plutôt que d'utiliser les nôtres ? Bien sûr, on peut emprunter les arguments de quelqu'un d'autre quand ils expriment exactement ce que l'on veut dire, mais quand cela devient maladif, on peut se poser des questions. Or, la plupart des gens qui m'ont répondu ont tenu à insérer un peu partout de grands noms d'auteurs ou d'œuvres. Peut-être voulaient-ils démontrer leur immense savoir, mais peut-être, aussi, ne savent-ils pas donner à leurs mots le poids qu'ils prêtent à ceux des autres. Peu à peu, et sans nous en apercevoir, tout doucement, nous perdons notre langue, et avec elle, un peu de nous-mêmes.

Par ailleurs, beaucoup de gens m'ont dit avoir trouvé dans mes paroles ce qu'ils pensent tout bas depuis longtemps; j'en 'ai donc pas suscité un débat, je l'ai simplement amené au vu et au su de tous. Pour beaucoup, cela a été un crime, mais pour d'autres, c'était nécessaire. Je pense que tout questionnement est bon, surtout lorsque peu de gens s'interrogent et que le questionnement les fait sortir de leur torpeur. Pourtant, le *statu quo* des idées est, pour l'homme, un repos. Aussi, on aurait préféré que je m'énerve dans mon coin et que personne n'en entende jamais parler, comme si me faire taire en empêcherait d'autres de penser la même chose. On préfère que les contestataires se taisent : ce que l'on ne sait pas ne nous fait pas mal, n'est-ce pas ? Ce pourrait d'ailleurs être la devise nationale de ce futur pays-utopie du Québec.

DEUXIÈME PARTIE

*« Dans tout Québécois, un homme
sommeille, qui prétend qu'il veille, sans
lever le doigt. Moi je prétends qu'il dort. »*

GILLES VIGNEAULT, *Faut que je me réveille.*

Politique

En politique, le mensonge règne. Non seulement les politiciens ne répondent jamais aux questions directes, mais en plus les gens refusent d'admettre qu'ils préfèrent qu'on leur mente au nez. La réalité est trop noire pour qu'ils veuillent la voir. Pourtant ignorer les problèmes ne les fera pas disparaître. Je n'ai pas les compétences nécessaires pour tout régler, mais je préfère être consciente de ce qui se passe plutôt que de jouer à faire semblant. D'abord, il faut être logique : la dernière campagne électorale s'est jouée sur les emplois. Je ne sais si c'est à ce propos que les gens ont voté, mais c'est ce dont les chefs nous parlaient. C'était à qui créerait le plus d'emplois, peu importe la façon. Or, sans être politologue, je peux être logique : créer des emplois est une illusion. Si le gouvernement dépense ou investit pour créer des emplois, il doit prendre cet argent ailleurs, donc il l'enlève aux contribuables qui ne peuvent alors le dépenser. Si les gens ne peuvent plus dépenser, la consommation stagne et alors la production suit, et des emplois sont perdus. C'est le jeu d'en prendre à l'un pour donner à l'autre. Il y a des nuances dans ce jeu, car on peut enlever un peu à beaucoup de gens pour redistribuer travail et argent, mais, essentiellement, on en revient toujours au même raisonnement et à la même impasse. La plupart des solutions, d'ailleurs, ne sont que des trompe-l'œil; elles sont parfois efficaces, mais à court terme seulement. De plus, rien ne prouve qu'il soit possible, même avec les meilleures conditions et la meilleure volonté du monde, de créer davantage d'emplois qu'il en existe actuellement. Le marché du travail est saturé : pour atteindre une certaine prospérité, il faut accepter le progrès, or celui-ci élimine des emplois ou, du moins, les vide de leur substance. C'est donc dire qu'il est fort possible que la situation ira en s'aggravant. Pourtant, personne n'a mis les politiciens devant cette évidence. Pourquoi ? C'est simple : les gens aiment qu'on leur mente. C'est beaucoup plus rassurant de penser qu'il y a encore quelque chose à faire. Même chose pour le déficit, même chose pour les programmes sociaux. Celui qui dit que le problème n'est pas si important et que toutes les brèches peuvent être colmatées sans trop de sacrifices est certain de gagner au jeu de la popularité, et c'est souvent tout ce qui compte.

Démocratie

Qui peut savoir si, lors d'une élection, il fait le bon choix ? Il me semble impossible de distinguer la vérité des mensonges; et comment savoir, si l'on n'a pas accès aux vrais documents, aux vraies prévisions, et que l'on n'a pas non plus les connaissances nécessaires pour vérifier le réalisme des conclusions ? On vote sans savoir, même si on écoute les débats, même si on lit les journaux. Comment être bien certain que le problème se situe au plan politique ? Dans une période de crise, on vote pour celui ou celle qui semble être le plus en mesure de régler nos problèmes immédiats, celui qui dit ce que le peuple veut entendre. Cette année, le peuple veut moins de taxes, plus d'emplois et pas de coupures dans les programmes sociaux. Tout ce qu'on peut faire, c'est changer la taxe en la camouflant dans les prix, enlever des emplois à des gens en en créant ailleurs, et préserver un peu plus longtemps l'universalité des programmes sociaux, en attendant que la corde casse, parce que, tout le monde le sait, la situation ne peut plus durer : les programmes sociaux ne sont plus réalistes. Fini l'État providence, la sécurité de tous. Fini.

Et en attendant, on vote. Pour qui ? Est-ce que cela a une quelconque importance ? Peu importe les idées de son parti, un chef qui devient premier ministre n'a plus grand choix. Il peut donner aux gens un semblant de solution et être aimé pour quelque temps, ou alors dire les vraies choses, faire des compressions, des coupures et tout ce qui est nécessaire... et provoquer un énorme mouvement de révolte dans tout l'électorat.

Alors je me suis demandée pourquoi voter. Au nom de la démocratie ? Mais puisque rien ne change rien (les différences entre les vues des partis politiques ne sont que de la poudre qu'on nous jette aux yeux : une fois élus, ils font ce qu'ils peuvent avec ce qu'ils ont, ce qui ne leur laisse que peu d'options), où est-elle, cette fameuse démocratie ? On ne choisit pas les meilleures solutions, on choisit un chef qui, quel qu'il soit, n'aura pas le choix. Et si la démocratie n'était qu'un beau rêve ? Le communisme en était bien un, et il a éclaté, pouf, comme une bulle de savon. Les Soviétiques paient cher leur rêve, et nous sommes aussi, peut-être, en train de payer le nôtre, même si, en bons Occidentaux que nous sommes, nous nous obstinons à le nier.

Qu'on ne prenne pas la porte de sortie la plus facile, en me disant que c'est le communisme en tant que tel qui n'était pas viable, parce que le communisme qui a été mis en pratique n'était pas celui de Marx, mais ce qui importe, c'est que c'était tout de même un système auquel beaucoup ont cru, comme nous croyons aujourd'hui au nôtre. Marx disait que le communisme viendrait après une période capitaliste où on amasserait les richesses. Le capitalisme finirait par basculer en concentrant trop les richesses et mènerait au socialisme, puis au communisme (les pays communistes ont, eux, escamoté la période de capitalisme, ce qui explique une partie de leur échec : ils ont oublié d'amasser les richesses avant de les distribuer). Cependant, et Marx, je crois, ne l'avait pas prévu, on a trouvé des moyens d'éviter la fin du capitalisme (le *New Deal* américain n'y est pas pour rien…). Seulement pourra-t-on éviter la fin encore longtemps ? Et le socialisme sera-t-il, comme Marx le pensait, la solution proposée ? Je ne crois pas. Du moins rien ne le laisse penser.

Référendum

Quand on dit que « ça ne va pas », on parle de choses quotidiennes, de l'argent qui manque, des prix qui montent. Comme solution, on nous offre de grandes choses : d'un côté, l'indépendance; de l'autre, le « changement », le « refus du *statu quo* », peu importe ce qu'on entend par là. C'est bien beau, mais est-ce que l'une de ces « solutions » réglera les vrais problèmes ? Les problèmes de ceux qui n'ont pas assez à manger, de ceux qui quittent l'école pour travailler, faute de ressources ? De ceux qui, à 40 ou 50 ans, ont perdu leur emploi et ne peuvent s'en trouver un autre ?

Est-ce qu'on n'essaie pas, encore, de nous masquer la réalité ? Et est-ce que nous ne nous laissons pas faire comme les moutons se laissent tondre ?

En élisant Jacques Parizeau en septembre dernier, les Québécois ont accepté de faire les frais d'un deuxième référendum sur la souveraineté en 15 ans. Tout le monde sait qu'une consultation populaire de cette ampleur coûte très cher, alors pourquoi le faire ?

Tenons-nous-en aux faits. Il y a eu référendum en 1980, et, alors, la majorité a décidé de demeurer dans le Canada. Pourtant, cette majorité a perdu : 15 ans plus tard, sans tenir compte de son avis, pourtant donné officiellement, on veut faire un autre référendum. On pourrait prétendre qu'en 15 ans, il y a eu une évolution massive dans la société québécoise. C'est un argument qui pourrait être défendu, mais cette évolution, même prouvée, ne change rien, car regardée dans son ensemble, la société n'est pas si différente de ce qu'elle était en 1980. Certaines sphères ont peut-être évolué, mais les cas particuliers ne font pas la société. Il y a davantage d'immigrants qui ont le droit de vote et la plupart d'entre eux voteront contre la souveraineté, non pas qu'ils soient « contre nous », mais beaucoup ont été accueillis et soutenus par la communauté anglophone et ont même été, parfois, rejetés par la communauté francophone. De cela, nous ne pouvons blâmer que nous-mêmes. De plus, la population vieillit. Or, si les jeunes sont, en général, davantage en faveur de la souveraineté que les aînés, ils sont trop peu nombreux pour changer le résultat de façon significative. Pour observer un changement de société qui influencerait le résultat du référendum, il faut donc chercher ailleurs, c'est-à-dire chez ceux qui étaient ici en 1980 et qui, pour la plupart, avaient déjà le droit de voter. Pour que le résultat du référendum soit différent, il faudrait qu'environ 20 % de ces gens aient changé d'idée. Supposer que cela soit possible, c'est penser que ces gens se sont trompés en 1980, que les raisons qui motivaient leur choix d'alors n'étaient pas valables et, qu'en plus de cela, ils ont vu leur erreur potentielle et ont décidé de changer. Or, il est difficile de croire qu'un cinquième de la population se soit trompé de façon aberrante en 1980 et il est encore plus difficile de croire que tous ces gens ont radicalement changé d'idée sur une question aussi lourde de conséquences que la souveraineté du Québec. C'est donc dire qu'il y a, encore, une majorité de gens qui voteront non au prochain référendum.

Si la majorité du non de 1980 n'a eu aucun poids, comment peut-on croire qu'une majorité éventuelle en faveur de la souveraineté en aurait, elle ? Si on n'a pas tenu compte de l'opinion du peuple simplement parce qu'il n'a pas donné la réponse attendue, où s'arrêtera-t-on ? René Lévesque avait prévu de faire plus d'un référendum si le résultat du premier se révélait négatif. On m'a aussi dit qu'il vaudra la peine de faire des référendums tant qu'il y aura une seule personne qui sera en faveur de l'indépendance. C'est faire fi de toute logique, c'est accepter de jeter des millions de dollars par la fenêtre.

Il est facile de comprendre que les politiciens font ce travail pour les avantages qu'il leur apporte, et c'est normal, mais ils doivent aussi le faire pour exécuter la volonté du peuple ou, du moins, ce qui est nécessaire pour lui. Or, poser plusieurs fois la question de l'indépendance du Québec, à coups de sommes énormes puisées à même les fonds publics, alors qu'il est clair qu'une minorité seulement est en faveur de ce changement, voilà du gaspillage pur et simple. Pire encore, c'est la preuve que certains politiciens sont complètement débranchés de la réalité ou qu'ils sont d'une malhonnêteté intellectuelle flagrante. Je parle ici des politiciens, mais ils ne sont pas les seuls à profiter d'un débat qui s'éternise. En effet, ce sont souvent les mieux nantis qui profitent de l'incertitude politique et économique à l'intérieur d'un État. Cependant que l'on s'interroge et que l'on fait des discours sur le sort de la nation, on oublie que certains ne mangent pas à leur faim et que d'autres se suicident faute d'envie de vivre dans un monde comme le nôtre. Le débat sur l'indépendance est peut-être venu du peuple, mais aujourd'hui il n'appartient plus qu'à une certaine élite.

On ne demande pas l'avis du peuple, on lui demande de voter pour l'indépendance. Ce n'est qu'une question de temps, pense-t-on, et on posera la question jusqu'à ce qu'on obtienne une réponse favorable, comme les enfants qui insistent pendant des heures parce qu'ils savent que papa finira par dire oui. C'est exactement comme si on faisait deux ou trois élections à chaque fois et qu'on choisissait ensuite le résultat le plus satisfaisant. Elle est belle, la démocratie.

Qu'on me comprenne bien : le questionnement est nécessaire, bénéfique même. Mais une éventuelle souveraineté ne sera pas le fait d'une minorité (appelons les choses par leur nom) tentant de convaincre les autres. Elle devra absolument émerger d'un mouvement de société, un mouvement global, venu de la base et pas uniquement des intellectuels ou des rêveurs éternels. Et, soyons réalistes, l'indépendance doit être une question de vie ou de mort pour être voulue par un peuple. La morosité doucement heureuse d'ici ne s'y prête pas.

Pourquoi faire des sacrifices pour une nouvelle étiquette qui ne changera rien à la réalité concrète de la société ? C'est ce que les gens pensent, consciemment ou non, et je ne peux pas les blâmer pour cela. Choisir la facilité est souvent malheureux, mais c'est dans l'essence même de l'homme.

En acceptant, plus ou moins tacitement, l'éventualité d'un référendum, les Québécois ont choisi de garder toutes les portes ouvertes (encore !). Il faudra bientôt se demander pendant combien de temps on peut ménager la chèvre et le chou avant que l'une ne meure et que l'autre ne pourrisse. Et il faut aussi se demander combien d'argent chacun est prêt à débourser pour un référendum perdu d'avance (le Parti québécois a été élu par quelques dixièmes de points, rien qui pourrait donner un quelconque espoir aux féroces souverainistes). Il est temps de dissiper l'illusion qui veut que le gouvernement dépense « son » argent. Il dépense celui qu'il arrache tant bien que mal aux individus, et le référendum sera fait avec votre argent. Le voulez-vous vraiment ? Si on demandait à chacun de donner un montant x pour faire le référendum, en expliquant où cet argent ira directement, il n'y aurait plus de référendum. Pour le moment, on préfère penser que ce qu'on ne sait pas ne nous fait pas mal. « Il y a sûrement un peu de mon argent là-dedans, mais bof... » Y a-t-il tant de gens qui ont assez d'argent pour en donner à des causes perdues et auxquelles ils ne croient peut-être même pas ?

L'indépendance doit passer par une responsabilisation de chaque citoyen. Quand la majorité choisira de céder une partie de son salaire pour un projet de souveraineté, quand tous accepteront le fait qu'il n'y aura pas de pays du Québec sans que chacun accepte de faire des sacrifices, alors on pourra parler de volonté du peuple pour la souveraineté, pas avant. Malheureusement, la lucidité fait peur à l'homme.

La différence entre 1980 et maintenant, c'est qu'en 1980, il y avait René Lévesque qui soulevait les passions. Il était permis de s'illusionner : une foule en délire ne voit pas qu'elle est seule. Aujourd'hui, point de foule et point de grand chef pour soulever des montagnes (ou le tenter). Les chiffres sont à peu près les mêmes, 60/40, mais aujourd'hui l'illusion est inexcusable : non seulement il n'y a aucun danger immédiat et concret à craindre, mais il n'y a pas non plus de mouvement populaire.

René Lévesque avait fait preuve, en 1980, d'un grand sens du marketing avec son « à la prochaine fois » (où en serions-nous s'il ne l'avait pas dit ?). Nous y sommes, à cette prochaine fois. Jacques Parizeau et son équipe tentent aussi de protéger leurs arrières. Ils nous feront voter sur un projet de loi, pas sur une question absolument claire comme celle que demande le premier ministre Chrétien : « Voulez-vous, oui ou non, que le Québec se sépare du Canada ? » Ne vous demandez pas pourquoi il demande une telle question : c'est qu'il serait certain, en comptant sur notre peur des engagements définitifs, de gagner son pari. Quoi qu'il en soit, en évitant la question véritable et franche, le Parti québécois s'assure d'une porte de sortie. Si (peut-on en douter?) la majorité vote non, il pourra facilement prétendre que les Québécois ont rejeté non pas l'indépendance, mais bien le projet de loi, et uniquement lui. Dans quelques années, ils reviendront à la charge. C'est une bonne tactique du point de vue du parti qui veut arriver à ses fins, mais globalement, pour la société, c'est tourner en rond.

Il faut aussi se demander si le désir de souveraineté québécois n'est pas qu'une nouvelle façon de mettre la faute sur quelqu'un d'autre, cette fois-ci sur le « fédéral ». Une fois la souveraineté faite et l'actuel palier fédéral éliminé (on peut toujours l'imaginer), qui blâmera-t-on pour tous les maux du monde ? C'est facile : d'abord le parti politique qui nous aura menés à l'indépendance. Ensuite, qui sait ? Mais il y aura toujours un bouc émissaire. On fait tout pour ne pas admettre la responsabilité personnelle de chaque individu.

Les fervents de l'indépendance admettent que leur solution n'est pas une panacée. Elle ne réglera pas tout, disent-ils, mais elle nous donnerait les moyens de régler certaines choses. Or, elle ne réglera ni les problèmes de carences intellectuelles et le manque de volonté pour y faire face, ni, probablement, les autres. On m'a dit que l'indépendance changerait les mentalités. Permettez-moi d'en douter. *Le Robert* définit une mentalité comme étant

« l'ensemble des croyances et habitudes d'esprit qui informent et commandent la pensée d'une collectivité, et qui sont communes à chaque membre de cette collectivité ». Or les humains ne changent ni rapidement, ni facilement, ni, surtout, malgré eux. Changeront donc ceux qui le voudront, mais ce n'est pas l'avènement de l'indépendance à un moment précis qui provoquera ce changement.

On prétend aussi que tout pourra être réglé quand les Québécois auront confiance en eux, et que cela arrivera avec l'indépendance. Peut-être que la confiance réglera nos problèmes, mais rien ne prouve que l'indépendance nous donnera cette confiance. Une chose est sûre, rien de cela ne sera automatique. Nous avons laissé notre confiance aller à la dérive depuis 200 ans, ce ne sont pas quelques mois ou quelques années qui nous la feront regagner.

Les problèmes agissent comme les microbes : on trouve un remède, mais ils se transforment et reviennent plus forts que jamais. Ainsi, en 1960, René Lévesque, élu pour la première fois, déplorait le nombre trop élevé de jeunes qui quittaient l'école à 15 ans, faute d'accessibilité à l'université. Il proposait bien des choses pour remédier à cette situation et aider ceux qui ne pouvaient s'instruire suffisamment. Il fallait, selon lui, que le gouvernement provincial cesse d'attendre qu'Ottawa bouge et qu'il agisse, seul. Et voilà que 35 ans plus tard, le décrochage scolaire remplace l'accès limité à l'école. Le problème, qu'on croyait réglé, réapparaît sous une forme différente : on pourrait fréquenter l'école, mais on ne veut pas, ou, du moins, on choisit de mettre ses priorités ailleurs. C'est que le changement qui était nécessaire en 1960 et qui l'est encore aujourd'hui est bien plus profond qu'un seul problème de politique, c'est un problème de conception de l'éducation, de manque de motivation et de valorisation du savoir. Or, si personne ne prend conscience du problème, comment espère-t-on le régler ? Personne ne veut en entendre parler. Pour preuve, les réactions de plusieurs personnes à mon discours. Le décrochage scolaire ou le manque d'éducation suffisante et adéquate (la solution n'étant pas nécessairement l'université) ne sont qu'un exemple de problème récurrent. Il y en a d'autres, plus graves encore. Une prise de conscience généralisée serait bien plus efficace que des lois et des mesures gouvernementales qui, si elles sont utiles à court et moyen termes, ne changent rien au fond de la situation.

Afin de ne plus être accusée à tort, et au risque de ne pas être crue, je ferai finalement part de mon opinion politique (car, bien que cela m'ait surprise, bien peu de lecteurs ont su voir au-delà des mots). Je suis convaincue qu'en tant que peuple, les Québécois ont besoin de se prendre en main. Non pas en tant que Québécois « de souche », blancs et francophones, mais en tant que Québécois, cette notion restant à redéfinir. L'évolution normale voudrait qu'après avoir traversé bien des épreuves et avoir survécu, l'ensemble de la population aille dans le même sens, vers l'indépendance, car chaque individu aurait alors fait un cheminement le menant rationnellement vers ce point. Le cheminement normal aurait fait de nous les citoyens d'un nouveau pays en 1980. S'il y a eu échec, c'est que nous l'avons choisi. Oui, il y a eu la campagne de peur et le chantage de Pierre Elliot Trudeau, mais nous avons choisi de nous laisser atteindre par ces frayeurs. Une conviction profonde et réfléchie ne s'envole pas avec des menaces de maux hypothétiques.

Ce constat posé, deux possibilités demeurent : soit

notre développement social s'est arrêté à l'adolescence, soit il est simplement plus lent que ceux des autres pays devenus indépendants et la souveraineté viendra tôt ou tard. Vu les circonstances, il faut opter pour la première possibilité : aucune situation d'urgence ni d'oppression ne presse notre évolution, aucun besoin criant de devenir des individus complets ne se manifeste. Peut-être s'agit-il là encore d'un reliquat de nos attitudes chrétiennes qui nous amène à nier notre être profond et même, à vivre avec ce manque. De ce côté-là, il n'y a qu'à laisser le temps faire les choses... s'il y a lieu. En attendant, il faut se concentrer sur des problèmes plus concrets en espérant vaguement que la situation débloque.

À défaut d'être une souverainiste convaincue, je suis une souverainiste découragée de la souveraineté. Le manque de chef charismatique et beau parleur est sûrement pour quelque chose dans notre attitude amorphe, mais cela importe peu en réalité, puisque si le chef change l'opinion générale, c'est la preuve que cette opinion ne se fonde que sur des bases superficielles.

On parle beaucoup du temps dont M. Parizeau dispose pour convaincre les gens que son option est la bonne. Cette utilisation du verbe convaincre est pour le moins fâcheuse. Ni M. Parizeau ni personne d'autre ne convaincra les gens. On ne parle pas ici d'enfants qui ne veulent pas s'habiller mais de gens qui ont à décider de l'avenir d'un pays. C'est une décision qui ne vient pas en quelques mois, mais qui se développe au cours d'une vie, au fil des expériences. Si les parties qui s'affrontent pensent avoir à convaincre les gens, ils vont perdre beaucoup de temps et d'argent. Autant les tenants du oui que ceux du non ont leurs raisons, et, en politique comme en matière religieuse, on ne peut forcer personne à changer. Si on tente de convaincre les indécis, c'est également se mettre le doigt dans l'œil : être indécis est une position, pas nécessairement une hésitation.

Convaincre est impossible pour une simple et bonne raison : à chaque argument, on peut opposer son contraire, aussi valable et plus ou moins convaincant selon le point de vue que l'on adopte. Ainsi, il y a deux façons de percevoir le fait que les Québécois désirent (ou acceptent de subir) un deuxième référendum en 15 ans. On peut, d'une part, dire que le peuple québécois s'est relevé très rapidement, alors que l'on croyait que l'échec de 1980 lui aurait brisé les reins, qu'il est déterminé et fort. D'autre part, on peut en conclure que le peuple dans son ensemble accepte encore de tergiverser, qu'il ne s'est pas décidé en 1980 et ne décidera vraisemblablement pas et qu'ainsi il accepte un gaspillage massif d'argent et de temps. Les deux visions sont possibles, les deux sont réalistes. Chacun choisit en fonction de ses idées personnelles, d'une façon qui semble instinctive, mais qui est basée sur tous ses antécédents.

La tactique référendaire du Parti québécois est limpide : tenter de faire croire que la majorité est en faveur de la souveraineté, du premier ministre qui affiche une confiance exubérante jusqu'à Pierre Bourgault qui, lui, prétend avoir senti un grand changement dans la mentalité québécoise depuis 1980. En voyant cela, le commun des mortels, l'électeur, se dit que la souveraineté se fera de toute façon, alors aussi bien voter dans le « bon sens » et « gagner ». L'idée en soi n'est pas mauvaise; elle risque même de faire gagner quelques votes. Seulement, elle se base sur nos carences intellectuelles, notre foi aveugle en la télévision et notre manque de recul. De grâce, choisissez mal mais choisissez par vous-mêmes !

Si je ne crois plus à l'indépendance québécoise, je ne suis pas pour autant fédéraliste. Les Rocheuses ne font vibrer chez moi aucune corde sensible. D'ailleurs, au plan provincial, le fédéralisme est aussi mal défendu par Daniel Johnson que l'indépendance l'est par Jacques Parizeau. M. Johnson tente, lui aussi, de ménager chèvre et chou. Ainsi, lorsqu'il donne un exemple, il ne dit pas « un Canadien vivant au Québec », mais bien « un Québécois qui est Canadien »... Nuance sans importance ? Je ne crois pas. Un fédéraliste doit avoir le courage de ses opinions, au risque de perdre quelques votes. On ne pourrait certes pas accuser les politiciens québécois d'extrémisme : dans leurs moindres paroles, ils s'assurent l'accord du plus grand nombre de gens possible. Pourtant un fédéraliste devrait, en toute logique, se considérer Canadien et parler en conséquence. Si M. Johnson ne le fait pas, comment croire une seule de ses paroles ? Je fais ici abstraction du manque de chaleur de son expression et de tous les autres éléments qui influencent notre perception des politiciens; ses mots eux-mêmes le trahissent.

Je ne suis pas fédéraliste parce que les arguments fédéralistes ne me touchent pas : pour moi, le Québec n'est pas une province parce qu'il appartient au Canada et que c'est là sa place, mais parce que ses citoyens refusent de prendre leur destin en main. Les fédéralistes demandaient le référendum de 1995; je suis convaincue qu'il ne devrait pas avoir lieu, car le ridicule, s'il ne tue pas, peut blesser profondément.

Je me demande qui gagnera ce référendum. Non pas qui, du clan du oui ou du clan du non l'emportera, mais bien qui, dans la population, en bénéficiera. La question est d'importance, car messieurs les politiciens prétendent livrer cette bataille pour nous. Je pense que personne n'y gagnera. Si le non l'emporte, on se retrouvera, comme en 1980, avec un gouvernement qui, même majoritaire en chambre, sera perdant. Le débat se poursuivra; dans 15 ou 20 ans, la question refera surface, et d'autres millions de dollars (peut-être un jour des milliards) seront gaspillés. Car on ne peut parler ici d'investissement : les partis payent pour se faire voir et aucun denier ne leur revient. Pire : comme la majorité des gens a déjà fait son idée, les partis ne récoltent qu'une poignée de votes pour tout cet argent dépensé en commissions, en consultations, en pancartes accrochées aux poteaux (personne ne parle de gaspillage et pourtant il est flagrant).

Si le oui l'emporte, la population entière se lassera bientôt d'entendre chaque jour parler des négociations, des protestations, des avant-projets, des sous-commissions, des médiations, de l'exode des mécontents et du résultat qui, n'étant pas assez élevé, ne devrait pas être suffisant pour décider de la souveraineté. On se chicanera longtemps sur le pourcentage nécessaire, avec raison d'ailleurs, car la souveraineté serait imposée à tout le monde, pas seulement aux tenants du oui... En deux semaines, un mois tout au plus, personne ne voudra plus en entendre parler. Pourtant cela n'est qu'apparence et les débats de fond seront évités, comme ils l'ont été jusqu'à maintenant. Même en faisant abstraction de la lassitude généralisée qui suivrait, on constaterait, quelques années plus tard, que rien n'aura changé. L'économie ne changera pas parce que le Québec sera souverain. Comme c'est elle qui, ces temps-ci, décide de notre moral, nos préoccupations quotidiennes n'en seront pas modifiées.

Un seul avantage à la victoire éventuelle du oui : on cesserait de parler de la souveraineté québécoise pour la vivre (et se rendre compte que ce n'est pas non plus le paradis terrestre). Ce serait du moins la conclusion logique. Pourtant, quelque chose me dit que la hache de guerre ne sera jamais vraiment enterrée. Nous connaissant, je prédis qu'il y aura bientôt un parti politique ou un vaste mouvement qui prônera la réunification du Canada. Qui sait, ces gens gagneront peut-être une élection, et alors, ils feront un référendum sur la fin de la souveraineté québécoise. En bons citoyens du Québec, nous voterons alors : peut-être...

Médias

Je me questionne depuis le début de cette aventure sur les médias et la pseudo-information qu'ils véhiculent. Je ne suis pas prête à les condamner en bloc, à les accuser de tous les maux de la société. D'autres l'ont fait, mais je pense qu'il est temps que la responsabilité revienne à l'individu. Le problème ne vient pas des médias eux-mêmes; il vient, comme les autres, d'un manque flagrant de sens critique. Peu importe, au fond, ce que les médias présentent si les gens sont capables de prendre du recul face à ce qu'ils voient et d'évaluer eux-mêmes la qualité de l'information qui leur est présentée. Aujourd'hui, au contraire, si les médias nous présentent un événement, faute d'un autre point de vue, nous croyons ce qu'ils nous disent sans rien questionner et, ainsi, nous perdons toute perspective.

C'est pourquoi il faudrait permettre aux gens de développer leur sens critique, face aux médias comme face au reste du monde, car rien n'est jamais objectif. L'objectivité est une illusion : dès qu'on emploie des mots, leur choix influence le sens et annule toute possibilité d'objectivité. De façon plus générale, le choix des informations diffusées ou publiées transforme la réalité que lecteurs et spectateurs perçoivent. L'information publiée n'est pas fausse, elle est simplement « choisie »... Il faut cesser de blâmer les médias, comme les autres, pour nos propres lacunes. Ils reflètent, eux aussi, ce que nous sommes, y compris notre manque d'esprit critique.

Ceux qui, pour lutter contre la morosité ambiante, proposent d'épurer les médias en en éliminant quantité de perceptions négatives des problèmes sociaux, vivent dans une bulle bien à l'abri de la réalité. Ce n'est qu'en ayant toutes les données en main que l'on peut apprendre et choisir. Tenter de cacher la réalité est bien plus tendancieux que d'en montrer une facette sombre, et la théorie de ces gens se rapproche dangereusement d'un contrôle de la presse (et des médias électroniques) de type fasciste.

Le contrôle de la violence à la télévision, par exemple, bien qu'exercé avec des intentions fort louables, est une lutte inutile. Bien des études ont été faites sur l'impact de la violence télévisuelle sur les spectateurs. Certaines ont conclu que cela les rendait plus violents, et d'autres moins, car elle leur permettait un défoulement par catharsis. De la même façon, pendant la grève du hockey, les policiers ont été beaucoup plus demandés pour régler des problèmes de violence conjugale. Le problème ne vient pas de la télé, il vient d'une incapacité profonde à vivre en société. Certains, choqués, donnent l'exemple des enfants qui ont tué une petite fille en jouant aux *Power Rangers*. Ces enfants-là étaient malades et souffraient de lacunes profondes dans leur évaluation de la réalité; ils n'ont pas besoin d'une télévision moins violente, ils ont besoin de traitements.

De toute façon, la tactique employée par les promoteurs de la télévision non violente est d'une inefficacité incroyable. Quand, par exemple, au début des films, on présente un avertissement (pour violence, sexe, âge limite, il y en a de toutes sortes aujourd'hui), on s'assure que tous les jeunes vont vouloir l'écouter. Ça ne prend pas de longues études de psychologie pour comprendre que l'interdit attire, peu importe l'âge de l'humain. Et qu'on ne me parle pas de contrôle des parents, c'est ridicule : à un certain âge, l'enfant, pour son propre développement, doit être laissé libre de faire certains choix, aussi il sera laissé seul de temps en temps. Un contrôle continuel des parents n'est pas seulement utopique, il pourrait être dommageable à l'enfant. C'est donc une illusion de penser que les petits ne verront rien qui ne leur soit pas destiné si les parents font leur travail. De toute façon, voir tout ce qui se fait ne pourra que les aider, éventuellement, à développer un sens critique. S'ils vivent dans un petit monde protégé, à la manière des Calinours, que maman les protège contre la méchante violence et que papa surveille tous les jeux pour éviter la moindre escarmouche, comment les enfants, en grandissant, pourront-ils s'adapter au monde réel ? Ils ne le pourront pas, et deviendront éventuellement déséquilibrés ou inadaptés.

De la même façon que pour la télé, on parle de contrôle des parents pour les jouets. Depuis quelques années, il est très mal vu de laisser les enfants s'amuser avec des jouets de guerre, et on considère que le parent qui en fait cadeau est bien inconscient. Pourtant, bien avant que les jouets soient produits en série, les enfants de partout jouaient aux Indiens, au gendarme et au voleur. Ils se faisaient un fusil d'une branche, un déguisement d'un seul foulard. Leurs jeux étaient aussi violents qu'aujourd'hui, mais alors on ne pouvait blâmer la télévision. C'était avant que les parents se mêlent de chercher dans le détail ce qui pourrait être nuisible aux enfants, avant qu'ils n'oublient qu'un enfant n'a besoin, pour être heureux, que d'amour, d'affection et de quelques repas par jour. Avant que la réalité, dont la violence fait partie, ne devienne taboue.

Les médias sont aussi noyés, très souvent, dans une mer de publicité. On essaie d'en faire un art, comme si tout le monde aimait se faire racoler pour du shampoing ou de la crème à main et que personne ne zappait sans fin durant les pauses commerciales à la télévision. Peu importe ce qu'on en fait, la pub est très présente dans nos vies. Or, j'ai entendu de la bouche d'experts que si une publicité ne plaît pas à une personne, c'est qu'elle ne lui est pas destinée. Autrement dit, on visait un autre poisson. On peut donc supposer qu'une publicité bien faite plaira presque nécessairement à celui auquel elle est destinée. Arrêtez-vous quelques minutes devant quelques annonces publicitaires et essayez d'imaginer le niveau intellectuel des destinataires de certaines pubs. C'est navrant. Pourtant nous faisons vivre ces compagnies en achetant leurs produits. Qui est le poisson maintenant ? On nous prend pour des nigauds et nous en redemandons, fermant les yeux pour nous convaincre que nous n'y pouvons rien.

Éducation

Avant de parler d'éducation, il faudrait définir le terme. Quel est le but de l'éducation ? Est-ce d'apprendre, bêtement, les mécanismes de la vie en société pour s'y trouver une place ou est-ce plutôt de devenir la personne la plus complète possible pour ensuite être heureux en société ? Si on veut faire des étudiants des bêtes qui se conforment sans penser, qui obéissent ou désobéissent sans savoir pourquoi et qui ne pensent qu'à boire et à « sortir », alors que l'on continue comme ça, l'objectif est atteint. Ne me dites pas que ne pas réfléchir est le propre de la jeunesse, c'est une excuse dont trop de gens se sont servis, et ce n'est simplement pas vrai. Si, au contraire, on veut aider l'étudiant à devenir ce qu'il voudra, à faire ce qu'il décidera, alors tout est à revoir. Il faudra penser à lui donner les moyens de ses ambitions. Il ne s'agit pas ici de lui pousser dans le dos, de le forcer à être le meilleur dans son domaine; il s'agit plutôt de lui donner une formation, la plus complète possible, dans le plus grand champ de matières possibles en lui donnant les vraies informations et assez de travail pour motiver sa réussite. Les cours doivent être de plus haut niveau et les programmes mieux structurés, (au cégep, on peut facilement avoir le même livre à lire deux ou trois fois dans des cours différents; si cela semble simplifier la tâche des étudiants, cela les fait aussi piétiner), mais surtout, le savoir valorisé. Non pas comme on l'a déjà fait, en encourageant tout le monde à faire des études universitaires (l'université ne convient pas à tous, non pas au niveau des capacités, mais des intérêts), plutôt en encourageant le dépassement intellectuel. Ce n'est pas parce que des connaissances ne se convertiront pas en argent ou en promotion qu'elles sont superflues. Et si, comme certains me l'ont signifié, vous vous entêtez à prétendre que pour l'ouvrier, la culture générale est inutile, lisez Rostand : « C'est bien plus beau lorsque c'est inutile. » *(Cyrano de Bergerac)*

On doit initier chacun à la culture afin qu'il décide par lui-même de l'usage qu'il veut faire de ce savoir qui est à la portée de sa main. Et cette initiation passe nécessairement par l'éducation, d'où l'échec du système d'éducation québécois. L'école n'a pas le mandat de tout faire pour l'individu, mais elle doit lui donner une idée de ce qui existe.

On blâme souvent le système d'éducation en bloc. Cependant, il faut songer que des gens ont pensé, érigé et respecté ce système, et que d'autres le font encore aujourd'hui. Le système n'est pas un être autonome et sans visage : il est ce que nous faisons de lui. Nous sommes tous coupables et il faut, je crois, le reconnaître.

Il est temps de reconnaître aussi l'importance de l'éducation dans la société et, pour cette raison, de cesser les expériences d'apprenti chimiste avec l'ensemble — ou même des bouts — du système. Ce n'est pas avec des substances plus ou moins inoffensives que l'on joue, mais avec des générations entières. Après l'apprentissage du français « au son », il y a eu la promotion de la Liberté toute-puissante, de l'expression orale avant tout et du professeur ami plutôt que maître. Au nom de l'éducation pour tous (que l'on a instaurée trop vite et sans y penser), on a mal enseigné à des milliers d'étudiants. Ils sont devenus médiocres, alors on a abaissé les standards à leur niveau. Depuis, c'est la chute sans fin. Il n'y a qu'une solution : donner un grand coup de barre, tout de suite.

On m'a dit que connaissance et éducation n'étaient pas des valeurs essentielles, on a nié leur lien étroit avec notre existence même en tant que peuple. Pourtant, « L'éducation, la recherche et la diffusion de la culture (d'ailleurs étroitement liées) sont non seulement la condition première du développement dans tous les domaines, mais le garant de l'autonomie, voire de la survie même de toute société » (Programme du Parti québécois, 1970). J'emploie les mots d'autres gens car il est essentiel de comprendre l'importance de l'éducation et de la culture et je crains que, si j'utilise encore mes propres mots, on ne se serve de moi, encore une fois, pour nier la réalité. Avis donc à ceux qui, je ne sais trop pourquoi (peut-être pour la garder pour eux seuls), niez le caractère essentiel du savoir pour les humains, tant comme individus que comme peuples : ce n'est pas parce que je le dis que c'est faux.

On m'a reproché de prôner le retour au cours classique (ce que je n'ai jamais dit, mais peu importe) qui brimait les individus, entre autres choses en mettant quantité de livres à l'index. Pourtant il n'est pas besoin de réfléchir longtemps pour comprendre qu'un système qui a des failles sans être tout à fait déficient peut être amélioré sans être complètement mis au rancart. C'est beaucoup moins risqué que de tout démolir et de rebâtir sur les ruines, trop vite et n'importe comment.

Il faut cesser, aussi, de changer de petits bouts du système — je pense ici à la réforme du collégial de l'an dernier — en pensant que cela suffira. Des générations ont été sacrifiées, car ni l'école ni les parents, qui pensaient que cela allait de soi, n'ont appris aux enfants à se dépasser et, ainsi, à dépasser le programme scolaire. On a entretenu la paresse. Il faut le reconnaître et cesser; réformer l'enseignement primaire aujourd'hui (en passant par la revalorisation des professeurs), puis continuer vers le haut.

Tant au primaire qu'au secondaire, il faut, avec la connaissance, promouvoir et transmettre la rigueur. La liberté est bien sûr une bonne chose, mais, sans brides, elle va de tous les côtés et ne mène à rien. Le résultat de notre manque de rigueur est facilement observable : des étudiants désorganisés, sans sens pratique, qui bloquent au cégep ou à l'université quand l'organisation leur fait par trop défaut et que personne ne leur indique pas à pas ce qu'il faut faire. La rigueur n'est pas un cadenas, une limite; elle est un outil qui permet l'élaboration de projets et de pensées plus poussés, une façon de faire les choses pour qu'elles soient plus que satisfaisantes. Elle combat la paresse et permet aux étudiants de créer eux-mêmes (et pour eux-mêmes) leurs objectifs et de les atteindre, s'ensuit la satisfaction d'avoir vaincu un obstacle de taille. En abaissant ses exigences, l'école a enlevé tout défi et toute motivation.

Que l'on ne me réponde pas que beaucoup d'élèves connaissent des difficultés dans le système actuel, malgré les faibles exigences, et que hausser celles-ci serait couper l'herbe sous le pied de ceux-là. Si la réussite était plus difficile, les élèves en difficulté seraient davantage forcés de s'améliorer et ils le feraient. Ils ne rejoindraient peut-être jamais les plus doués, mais ils ne se laisseraient pas distancer autant qu'on le pense. Beaucoup de ceux que l'on croit être des cancres le sont uniquement parce qu'ils ne se donnent pas la peine de travailler. Un 60 % leur suffit. Seulement, comme ils en ont la capacité, si leur 60 devenait soudainement un 50, ils s'adapteraient et obtiendraient plus ou moins les mêmes notes qu'auparavant. Bien des critères qui déterminent les notes sont purement psychologiques (celui qui le nierait prétendrait que certains enfants naissent carrément imbéciles et je ne le crois pas : on peut le leur faire croire, soit, mais ils ont sensiblement les mêmes capacités que les autres), aussi les notes ne changeraient pas à cause d'une hausse des critères, mais la rigueur intellectuelle des élèves, leur capacité de travail et leur organisation s'en trouveraient de ce fait augmentées. Il faudrait, toutefois, que ce réajustement aille de pair avec la valorisation de l'acquisition de connaissances, car la simple hausse des standards ne changera rien, ce problème-là étant, comme les autres, plus profond qu'on ne l'imagine. Il faut changer le fond, pour une fois, plutôt que la forme seule.

L'ensemble du système collégial est à revoir. Le cégep ne remplit aucune fonction qui lui soit propre ou qui ne puisse être remplie par un autre système, par exemple une sixième année de secondaire et une année préuniversitaire. Cela aurait le grand avantage de favoriser les échanges entre étudiants d'ici et d'ailleurs, le cégep n'ayant pas d'équivalent ailleurs.

L'ensemble des programmes collégiaux sont si mal définis, si mal structurés, que le contenu d'un même cours varie non seulement d'un cégep à un autre, mais aussi, d'une façon aberrante, d'un professeur à un autre. À l'intérieur d'un cadre très large, le professeur enseigne ce qui lui plaît. Longtemps on a pu faire quatre fois la même chose en philosophie, ou alors faire un cours d'histoire de la philosophie (de l'Antiquité au Moyen Âge, rien de plus), deux de théorie et un de pratique, selon que le professeur se plaisait davantage ou était plus au courant d'un domaine. Résultat : une formation sans queue ni tête, qui est oubliée dès l'examen passé. De plus, le professeur a une grande latitude quant au barème d'évaluation. Certains ne donnent jamais plus de 80 %, tandis que d'autres accordent des notes parfaites. Cela bousille complètement le système d'évaluation comparative en vigueur pour les admissions à l'université, le rendant injuste et inadéquat.

Le cégep a une fonction de « bouche-trou ». On ne savait pas trop que faire avec des jeunes qui, eux, ne savent pas que faire de leur avenir (d'autant plus qu'ils doutent maintenant d'en avoir un); on les a entassés dans les cégeps, à défaut d'une meilleure solution. Ils hésitent entre une formation technique, l'université ou l'abandon pur et simple. Comme on n'a pas su les former pour qu'ils choisissent, on ne peut leur imposer un choix trop rapide. On leur offre donc une période de transition. Deux ans pour un diplôme « général ». Deux ans, dans bien des cas, à boire, à « être sur le party », à ne pas étudier, car bien des cours ne le demandent pas (et de toute façon on peut bien en couler quelques-uns...). Ils pratiquent cette paresse qu'on leur a apprise et qui est la nôtre, sans grandir un brin, car ils n'ont pas compris le but de l'exercice. J'ai fait ici volontairement abstraction de ceux qui doivent travailler 20 heures par semaines pour boucler de justesse leur budget, car ils ne forment pas la majorité. La plupart de ceux qui travaillent le font pour payer le « char », les sorties, les gâteries. D'autres le font pour, éventuellement, payer l'université. Beaucoup finissent par s'égarer, faute d'un défi ou parce que la « vraie vie » les a distraits de leurs études. Ils n'ont pas oublié le choix à faire, ils l'ont simplement reporté... d'année en année. Le cégep est devenu leur deuxième maison (ils doivent cependant, dans la plupart des cas, fumer dehors, et penser à cela me fait toujours sourire…). Ils refont ce que tous, nous leur avons montré : ils refusent de vieillir.

Effectivement, les jeunes sont désintéressés de l'école, et, non, ils ne savent plus écrire. Mais il ne faut pas que l'école s'adapte au niveau continuellement à la baisse des étudiants, il faut qu'elle les aide (ou même les force un peu) à atteindre ses objectifs.

L'« éducation pour tous » était une erreur parce qu'elle a mené à des excès de paresse, où on privilégiait l'expression orale aux dépens du reste, on le dit souvent. Seulement l'éducation commence avant l'école et se continue en dehors d'elle. Il faut, d'une part la volonté de l'enfant et, d'autre part, l'aide des parents. Plus tard, l'étudiant devra vouloir continuer pour lui-même. Je ne parle pas ici de faire ses devoirs, mais de vouloir et de comprendre des choses extérieures au programme scolaire, parce que ce dernier est si peu exigeant que s'en contenter revient à s'abrutir. C'est en haussant le niveau de l'éducation reçue à la maison que l'on améliorera l'école, car elle devra s'ajuster au calibre des jeunes. Mais cela ne se passerait que dans un monde idéal, car trop souvent, on a encore la mentalité de l'ignorant heureux. Ainsi, les enfants se moquent de leurs pairs qui lisent ou qui sont premiers de classe. Il ne s'agit pas de jalousie : ces enfants reproduisent ce qu'ils voient chez leurs parents. C'est pourquoi une réforme de l'école devra commencer dans chaque foyer, mais cela est bien peu probable, car tous ne reconnaissent pas que l'éducation et les connaissances sont de grands atouts dans notre monde.

Souvent aussi, on blâme les professeurs, mais je me demande ce qu'on peut bien leur demander de plus. On leur envoie un message clair en les payant un salaire ridicule compte tenu du nombre d'heures qu'ils passent à travailler chaque semaine : l'éducation de nos enfants est bien moins importante que nos divertissements, que ce soit le sport ou l'humour, car on paie bien plus grassement ceux qui nous distraient que ceux qui passent 40 heures par semaine avec nos petits. C'est indéniablement un choix de société regrettable. Je ne demande pas que leur salaire soit augmenté, car je sais bien que plus personne n'a d'argent, mais une plus juste répartition devrait tenir compte de l'importance sociale des professeurs par rapport à d'autres. Il est peut-être trop tard aujourd'hui pour cela.

En attendant que l'ensemble des parents et des enfants changent radicalement d'attitude et que tout le système soit transformé, des élèves meurent d'ennui dans les classes. Ce n'est pas la faute du professeur, c'est la faute du potentiel de ces élèves, car ils doivent attendre les autres avant d'aller plus loin. Ils rêvent de « sauter » une année ou de fréquenter une école dite alternative, mais ils n'en ont pas toujours la possibilité. C'est ainsi qu'on pratique le nivellement par le bas, quotidiennement, dans nos écoles. On freine les plus doués (ils ne sont pas toujours des génies, mais ils ont cette passion de savoir...) jusqu'à les en rendre malades. Souvent, ils se découragent et finissent par se complaire dans la paresse, car on peut se contenter d'écraser les autres sans effort : les étudiants doués se contentent d'être meilleurs que les autres, ce qui ne leur demande aucun travail et, ce faisant, ils stagnent et font abstraction de leur capacité d'aller plus loin. Je ne sais ce qu'il advient d'eux quand ils grandissent, mais leur potentiel, souvent, est grandement hypothéqué. Pourtant, la solution est simple : faire des classes avancées. Ou encore, plus simplement, fournir à ceux qui en ont besoin davantage de travaux ou de responsabilités, ce que font certains professeurs, avec plus ou moins de succès, mais il faudrait une solution de rechange uniformisée. Cela s'applique davantage au niveau primaire et au début du secondaire. Ensuite, les étudiants devraient être capables de se prendre en main et de s'occuper eux-mêmes. D'autres problèmes surviennent alors : souvent, les professeurs acceptent mal qu'on leur fasse savoir que leur matière n'est pas suffisante. Souvent aussi, les étudiants ne savent pas quoi faire. Ils se débattent pour apprendre l'autonomie, mais, faute de défis à relever ou d'envie de les relever, ils se sentent pris au piège de l'école. C'est ce que les adultes se plaisent à appeler une crise d'adolescence… et, parfois, on n'en sort que très tard.

L'école, donc, enferme ceux qui voudraient aller plus loin et blesse ceux qui ne se sentent pas capables de suivre. C'est du moins ce que l'on croit quand on le vit. Le choix reste nôtre, mais cela prend parfois bien des années avant de le constater. L'école paraît bien méchante et bien pauvre, mais elle est ce que l'on fait d'elle. Aussi, elle restera médiocre jusqu'à ce qu'un assez grand nombre de gens se révoltent. À côté de cela, c'est la responsabilité de chacun de compléter sa formation, voire même sa culture. On reproche à l'école de ne pas faire lire les jeunes, mais on ne dit pas que ces jeunes pourraient lire par eux-mêmes. Et s'ils décident de ne pas le faire, c'est souvent parce que notre mentalité n'encourage pas la lecture : il est beaucoup plus difficile de commencer à lire par soi-même à un âge plus ou moins avancé que de commencer à lire jeune, encouragé par ses parents et les autres qui nous entourent. C'est pourquoi un enfant qui grandit entouré de livres, qui voit ses parents lire sans toutefois qu'il ne soit forcé de le faire, a plus de chances d'aimer lire qu'un autre.

Si je semble insister sur la lecture, surtout en bas âge, c'est qu'elle développe la capacité d'utiliser une langue, l'imagination et l'autonomie d'un enfant, trois choses qui, plus tard, pourraient l'aider à acquérir un certain sens critique par rapport au monde qui l'entoure. La lecture, comme le reste, vient de l'individu (et, quand il est trop jeune, des parents). C'est pourquoi il faut prendre nos responsabilités et cesser de blâmer pour cela notre système d'éducation comme s'il avait une personnalité et une volonté propres. Il n'est pas parfait, mais il est devenu ce que l'on en a fait.

On a ainsi créé un système qui encourage la paresse, en particulier sur la plan de la langue. Que l'école ne fasse pas des écrivains de tous ses élèves est une chose, mais c'en est une autre de les laisser traverser tous les niveaux sans qu'ils sachent écrire. Selon moi, la capacité d'écrire correctement vient davantage de la lecture (acte solitaire) que de tout ce que l'école peut faire entrer dans la tête des étudiants. Peu importe où l'apprentissage se fait, pourvu qu'il se fasse. C'est alors le rôle de l'école de vérifier les connaissances, car si ce n'est pas fait, le diplôme qu'elle décerne n'a aucune valeur. C'est une question qui mérite de s'y attarder, et un exemple saute aux yeux.

En première page du *Devoir* en septembre dernier, on pouvait lire que le test de français imposé aux finissants des cégeps avait été mieux réussi ce printemps. On entend beaucoup parler de ce test, et il faudrait enfin donner les vraies informations, dire ce qui en est vraiment, non pas ce que les fonctionnaires nous en disent, mais ce qui se passe en réalité. La vérité, c'est que ce test est de la rigolade. Il est mal conçu, mal évalué, et ses résultats sont ridicules, donc, logiquement, sans aucun poids.

Il s'agit d'écrire 500 mots en trois heures, de faire de ces mots un texte argumentatif. Une fois de plus, on demande aux étudiants : « Hé, toi, le jeune, dis-moi ce que tu penses ! De l'énergie nucléaire, des salaires au hockey, des télé-romans, de n'importe quoi ! » On ne leur a pas appris à être critique dans le but de se former une opinion, et pourtant on leur demande d'avoir des opinions, n'importe lesquelles, peu importe comment ils en viennent à les avoir. Et pour éviter les fautes, les étudiants ont droit à deux outils de leur choix : grammaire, dictionnaire ou guide de conjugaison. Dans leurs écrits de tous les jours, par contre, ils pensent rarement à utiliser un dictionnaire. C'est donc dire que le test ne reflète pas leur propre capacité d'écrire, mais leur habileté à fouiller dans un livre. Et beaucoup échouent tout de même…

Le test, il faut le dire une fois pour toutes, n'évalue pas les capacités en français des étudiants. Ce qu'il évalue, c'est la capacité de répondre à des règles stupides. N'importe quel professeur de français vous le dira : il est recommandé de faire des phrases courtes, de ne pas avoir de style et d'employer des formules toutes faites, du genre « à mon avis » ou « je pense que », et surtout, surtout, il faut montrer que l'on est organisé. Par exemple en ponctuant le texte de premièrement, deuxièmement, pour conclure, etc. Je peux vous en parler : terrorisée par le haut taux d'échec, j'ai fait un texte simpliste, dont j'avais carrément honte. Une succession de sujet, verbe, complément, point, sujet, verbe… avec beaucoup de « je pense que, parce que ». J'étais si humiliée que j'hésitais à remettre ma copie. Eh bien, j'ai eu 99 % ! Je n'en suis pas fière, car pour quelqu'un qui a subi ce test, il est évident que j'ai obtenu cette note en courbant l'échine, en acceptant de jouer le jeu du ministère de l'Éducation et de ses correcteurs qui ne prennent pas le temps de lire une phrase de plus de deux lignes et qui la considèrent donc comme une faute. Là comme ailleurs, on encourage la médiocrité. Les futurs récipiendaires de prix littéraires n'ont sûrement pas eu une bonne note à ce test.

Un tiers des étudiants échouent le test. En lisant cela, les gens se disent que le test est vraiment trop difficile... mieux vaudrait abaisser les critères de correction. Justement non. Il faudrait changer l'ensemble du test et surtout, former des correcteurs qui ne s'offusquent pas des petits caprices d'un style. Et si le tiers des étudiants échouent toujours, eh bien tant pis ! S'ils veulent vraiment entrer à l'université (ou, bientôt, avoir leur diplôme collégial), il leur faudra apprendre à écrire. Sans que maman ne soit là, sans que des professeurs ne les suivent pas à pas. À 18 ou 19 ans, il est temps de faire un choix entre la passivité à laquelle l'école nous a jusque-là entraînés et l'action concrète qui, elle, ressemble davantage à la vie. Il est déjà assez incroyable qu'on puisse, sans savoir aligner des lettres, se rendre au cégep. Favoriser à tout prix la réussite de ceux qui échouent actuellement ne les aidera pas. Ils se rendront à l'université et auront déjà perdu des mois de leur vie avant de constater leurs lacunes. Mieux vaudrait un système d'éducation beaucoup plus exigeant mais dans lequel les illusions d'aujourd'hui ne subsisteraient pas. Aider les plus faibles ? Oui. Leur faire croire qu'ils sont les plus forts ? On l'a assez fait.

Ce n'est pas l'école qui enseigne la langue, c'est la lecture, et cela vient des parents et du milieu. L'école tente de pallier ces manques en faisant apprendre certaines règles, mais la connaissance de ces règles n'est pas nécessaire si on comprend le fonctionnement de la langue. Apprendre par cœur des règles pour l'examen et tout oublier le lendemain ne fait pas progresser l'étudiant, alors que la compréhension ne peut que grandir avec le temps.

Notre manque d'exigences est navrant et nuit aux étudiants au lieu de les encourager. Dernièrement, on s'est vanté dans les journaux du fait que les jeunes du secondaire qui lisent de 6 à 10 heures par semaine réussissent mieux que les autres. Je sais par expérience que lire ne peut nuire, mais les faits qui ont été avancés étaient douteux. On a comparé les résultats des deux catégories d'élèves (gros lecteurs et lecteurs modérés) au test de français que fait passer le ministère de l'Éducation aux finissants du secondaire. Or, on en est arrivé à la conclusion que les gros lecteurs réussissaient mieux que leurs camarades : 69 % en moyenne, comparativement à 61 % pour les autres. Et on se vante de tels résultats ! Obtenir 69 % à ce test est un résultat épouvantable, dont personne ne devrait se vanter. Après 5 années passées à apprendre le français chaque jour ou presque, et après avoir lu régulièrement, ne pas être capable d'écrire un seul texte de façon correcte (et 69 % n'est pas un niveau acceptable) est une honte. Pourtant, devant les résultats des sondages, bien des gens se sont sentis heureux et soulagés. Notre système d'éducation permet pourtant d'obtenir facilement, avec le moindre effort, des notes bien supérieures à ce petit 69 %. En acceptant cette note comme étant un succès, on envoie un message très clair : la médiocrité est assez bonne pour nous.

Ces notes déplorables en français, même pour ceux qui lisent régulièrement, sont peut-être un symptôme de quelque chose de plus large et de plus grave : l'influence à long terme de la télévision sur nous. La question vaut la peine qu'on s'y arrête, car si les jeunes qui ont été évalués lisaient de 6 à 10 heures par semaine, il y a fort à parier qu'ils passent deux ou trois fois plus de temps devant la télévision. Je ne tiens pas ici à tout mettre sur le dos de la télévision, car elle a aussi ses bons côtés. Seulement, elle nous offre une facilité envoûtante dont il est très difficile de se détacher, malgré les idioties qu'elle nous présente souvent. D'un côté, les gens ont ce qu'ils demandent ou ce qu'ils veulent, consciemment ou non; seulement de l'autre, on leur présente aussi de plus en plus de débilités, qu'ils regardent par habitude. C'est là une autre facette de notre paresse intellectuelle. Le divertissement passif passe, bien sûr, avant le reste…

Entendu récemment : « Pis là tu downloades ta file pis tu fais edit. » Est-ce qu'on ne ferait pas mieux de parler anglais plutôt que de massacrer le français de cette façon ? Je ne dis pas d'abandonner la langue française, car je l'aime bien avec ses défauts, mais on pourrait accepter de parler deux langues plutôt que de prétendre en parler une en utilisant 60 % de mots de l'autre… Il y a un temps pour tout, et on peut choisir la langue en fonction de son lien avec le domaine duquel on veut parler. Ce n'est pas mettre de côté une langue, c'est l'utiliser quand elle est la mieux adaptée à une situation. L'informatique est l'exemple le plus évident pour lequel l'anglais est universellement utilisé, peu importe la langue de l'utilisateur. Aussi, il me semble que choisir l'anglais pour parler informatique est préférable plutôt que le français si on le tue peu à peu, car on s'habitue à certaines expressions, et on peut facilement en venir à oublier que *downloader une file* n'est pas français.

Je ne prône pas l'apprentissage et l'usage occasionnel de l'anglais parce qu'il s'agit de la langue de l'envahisseur, ou parce que les anglophones nous sont tellement supérieurs. Il ne faut pas adopter une langue par couardise ou par complexe d'infériorité, il faut plutôt la choisir parce qu'elle nous ressemble un peu aussi, que nous le voulions ou non. Seulement, pour choisir une langue de façon rationnelle, il nous faudrait avoir réglé nos propres sentiments d'infériorité face à l'anglais.

Les puristes me reprocheront cette idée que j'ai d'abandonner le français de temps en temps en faveur d'une langue mieux adaptée à la réalité. Pourtant le français est déjà abandonné dans bien des cas et il n'est pas certain que sa chute soit réversible. La preuve la plus flagrante de cela se trouve dans notre vie quotidienne : en effet, dans la plupart des milieux, il est mal vu de bien parler. Employer les formulations correctes, ne pas se laisser aller aux contractions familières, éviter ce qu'on appelle le « joual » québécois sont toutes des choses inhabituelles, et ceux qui les pratiquent sont regardés comme des bêtes curieuses. Savoir réciter des vers en utilisant la prononciation correcte, de nos jours, est une exception rare. Dire : « Comment vas-tu ? » au lieu de : « Ça va ? », respecter la syntaxe française, c'est se prendre pour quelqu'un d'autre, c'est... « péter plus haut que l'trou ». Ne pas utiliser de façon correcte notre propre langue, la troquer le plus souvent possible pour une autre, avoir des préjugés contre ceux qui osent la parler comme elle devrait l'être, c'est, indéniablement, manquer de respect envers elle et, parce qu'elle est nôtre et qu'elle nous définit, c'est manquer de respect envers nous-mêmes. Pourtant, nous nous disons que ce ne sont que des détails sans importance, que des broutilles qui ne signifient rien. « Relaxe, chose, y en a pas, d'problème... » Ouais.

Avant de tenir pour acquis que nous maîtrisons de façon correcte, sinon très bonne, notre propre langue pour ensuite promouvoir l'ouverture au monde et aux autres en encourageant l'apprentissage des langues, nous devons encore régler nos problèmes internes, tenter de promouvoir notre langue avant les autres pour ne pas qu'elle disparaisse. Comme la promotion du français ne se fait que dans des contextes précis, qu'elle ne touche pas globalement les gens, le problème ne se règle pas, et nous piétinons. On repousse constamment l'échéance, baissant les critères pour toujours pouvoir décréter notre langue vivante à mesure que sa qualité et son usage diminuent. Ce faisant, nous remettons toujours le problème à un lendemain éventuel, priant pour qu'il n'arrive jamais. Nous nous complaisons dans notre connaissance médiocre du français et, parfois, de l'anglais, satisfaits que nous sommes de notre médiocrité, nous coupant de centaines d'autres réalités.

L'indépendance du Québec ne réglera pas tous les problèmes de la langue française au Québec, contrairement à ce que certains avancent. Si les habitants de la province se désintéressent de leur langue maintenant, ils ne s'y intéresseront pas davantage quand ils habiteront un pays. Certains disent qu'en tant que pays, le Québec devra communiquer avec d'autres nations et que, pour être compris, il devra parler un meilleur français. Or, non seulement la langue internationalement utilisée est souvent l'anglais, mais aussi les relations entre nations, que ce soit pour le commerce ou pour la diplomatie, sont limitées à quelques individus, une infime minorité.

Le problème vient de beaucoup plus loin que la seule présence anglophone autour des francophones; il vient des francophones qui se fichent de leur langue, qui la délaissent complètement pour une autre ou qui la parlent mal, sans avoir la volonté intellectuelle de la cultiver, même s'ils en apprennent d'autres, ou même s'ils ne se servent que des autres. Or, quand on connaît une langue et qu'on accepte de l'oublier peu à peu, c'est que l'on accepte de désapprendre, de reculer. Et si nous le faisons pour la langue, nous le ferons pour le reste. C'est là accepter implicitement que l'humain est devenu tout ce qu'il pouvait devenir et qu'il n'a plus qu'à régresser jusqu'à sa caverne, oubliant peu à peu les quelques véritables progrès qu'il a su accomplir.

La survie de la langue française, si elle survit, passera par chaque personne, par une décision profonde de chaque individu. Or, on perd souvent bien du temps à mettre le tort sur les autres, et on choisit la cible la plus facile : les Anglais. Ils sont racistes, ils nous exploitent, ils nous méprisent. Toujours de grands mots pour blâmer les autres. Pourtant les anglophones n'ont fait que ce que nous aurions fait à leur place. S'ils ont longtemps été plus riches, c'est que nous n'avons pas su prendre notre place, c'est que pendant qu'ils s'enrichissaient, nous étions à la messe ou en train de défricher un coin de pays. Il ne sert à rien aujourd'hui de se parer d'une paranoïa sans bornes à leur égard : les langues ne s'affrontent pas; ce sont les humains qui le font. Nous avons déjà perdu assez de temps, il serait peut-être temps de nous observer avant de les insulter. Nous verrions alors que nous ne sommes plus capables de penser correctement dans notre propre langue. Si nous ne faisons rien contre notre propre inaction, nous accepterons d'oublier que le français a déjà eu une place en Amérique. Ce ne serait pas nécessairement un drame, seulement c'est un choix à faire et il est temps de choisir consciemment plutôt que de toujours laisser les choses suivre leur cours.

De l'inconscience des humains en général

La recherche d'une religion à tout prix, qui se retrouve dans l'histoire de l'humanité de façon chronique, m'apparaît comme un symptôme grave d'un malaise qui est peut-être inhérent à notre espèce (même si j'espère que non). La raison de cette quête ne m'apparaît pas clairement. Au départ, les hommes ne comprenaient pas leur monde et ils se sont créé des dieux pour expliquer ce qu'ils ne pouvaient expliquer eux-mêmes. Aujourd'hui, outre le nébuleux sens de la vie, la seule réalité qui échappe aux hommes reste ce qui suit la mort, que ce soit le néant ou autre chose. D'où je peux comprendre que certains se tournent vers la religion. Cependant une philosophie, voire même une simple conception de la vie pourrait remplir le même rôle, évitant de ce fait dogmes et illusions. Alors pourquoi ce pullulement de nouvelles religions et de sectes ? On parle au Québec de vide spirituel depuis le rejet de la religion catholique, mais la spiritualité ne se limite pas à la religion. Pourquoi donc remplacer une béquille par une autre ? La réponse ne me semble ni simple ni claire. Elle recouvre cependant certains faits :

1° L'être humain ne se fait pas confiance;

2° il préfère croire n'importe quoi (ou presque) plutôt que d'avouer son ignorance et son incapacité à la combler

3° il n'apprend pas de ses erreurs

À l'évidence, les humains sont bien faibles en intelligence, ou du moins ils ne savent pas utiliser celle qu'ils ont. Qu'on ne me lance pas à la tête les grands progrès récents de l'humanité, car si techniquement nous semblons bien avancés, notre compréhension des choses impalpables n'a pas progressé depuis longtemps. Que fait l'homme, si ce n'est fabriquer des outils et les perfectionner ? Il le fait depuis des milliers d'années ! L'humain d'aujourd'hui a une caverne chauffée et il se lave assez souvent. Ce sont les seules différences.

Pardon : l'homme d'aujourd'hui est sans doute plus paresseux. Jadis, il chassait pour se nourrir, il n'avait pas le choix. Aujourd'hui, il ne chasse plus mais préfère, ses temps libres, s'abrutir davantage plutôt que s'élever, d'une façon ou d'une autre. Qu'on ne me dise pas que je méprise l'humanité : je suis, moi aussi, bien heureuse de paresser. Seulement la paresse est une chose et la stupidité en est une autre, et je crois sincèrement qu'il est stupide de notre part de ne jamais accepter la responsabilité de nos actions s'il y a moyen de mettre la faute sur quelqu'un d'autre. Or, nous le faisons tous les jours, plusieurs fois par jour. Nous avons changé notre vision catholique, qui voulait que les choses soient comme Dieu entendait qu'elles le soient pour une autre qui n'est pas plus éclairée. Aujourd'hui, c'est le gouvernement qui est stupide (on l'a tout de même élu...), ce sont les taxes qui sont trop élevées (on a accepté, autrefois, le train de vie national qui devait nous mener là...), mais ce n'est jamais l'individu. Ce qui semble pur problème de sémantique transforme toute notre vision du monde.

... et des gens d'ici en particulier.

Blâmer toutes les personnes et toutes les institutions possibles est devenu un sport national, et, dans biens des cas, cela fausse notre jugement, en tant qu'individu et en tant que société. La situation s'est produite il y a un an, avec l'histoire des cigarettes de contrebande. C'est tout un problème lorsqu'une société choisit de se préoccuper davantage des effets que des causes de ses problèmes. La situation était pourtant simple : les cigarettes étaient très taxées et certains en faisaient la contrebande, les importaient illégalement puis les vendaient moins cher. Résultat : les vendeurs autorisés, dépanneurs et autres, perdaient de l'argent. On en a fait tout un plat, avec manifestations, ventes illégales publicisées, GRC et tout. On a complètement oublié la contrebande, puis on a abaissé les taxes sur les cigarettes pour que les gens les achètent de nouveau dans les dépanneurs. Le problème est réglé ? Ben voyons. Remis à plus tard, tout au plus. Il y a encore des fumeurs qui empestent l'air des autres, et la contrebande continue d'exister. Au moins, semble-t-on dire, maintenant on n'en parle plus...

C'est peut-être parce que nous sommes humains davantage que parce que nous sommes Québécois, mais nous oublions tellement vite... Je ne vais pas ici me lancer dans une grande démonstration historique. D'autres l'ont fait, et mieux que je ne le pourrais. Cependant, certains exemples récents sont trop pertinents pour que je rate l'occasion de vous les rappeler. Il y a environ deux ans, le Musée de l'humour ouvrait ses portes, à grands coups de subventions gouvernementales. Tout près, le TNM menaçait — et menace toujours — de s'écrouler sur ses spectateurs et d'autres théâtres devaient distribuer gratuitement des billets pour remplir leur salle. On a fait fi de leurs problèmes pour engloutir des tonnes d'argent dans un nouveau musée, sous prétexte que le projet serait rentable. Fort bien. Seulement, on a demandé un prix d'entrée exorbitant et les consommateurs ont décidé qu'il fallait bien rire, mais pas à n'importe quel prix. Bref le musée a fermé ses portes pour, quelques mois plus tard, les réouvrir en grande pompe. Des artistes ont repris le projet, des activités spéciales ont été organisées et le prix d'entrée est devenu raisonnable. Ça semble être un succès et c'est tant mieux. Seulement l'argent du gouvernement (donc le nôtre) est tout de même passé dans un monument à l'humour, ce que beaucoup n'approuvaient pas. Pourtant tous ceux qui s'étaient indignés de ce choix gouvernemental se sont tus lorsque des artistes ont pris le musée en main. Ils ont oublié ou ils ont accepté, je ne sais trop, mais nous avons payé, une fois de plus, un peu malgré nous et nous n'avons eu ni la force ni la persévérance de nous battre.

Il y a deux ans, la ministre Lucienne Robillard a proposé une réforme de l'enseignement collégial (qui, effectivement, en a grand besoin, même si l'idée de Mme Robillard est discutable). Les étudiants ont manifesté quand le projet a été déposé. On parlait de grève générale, de manifestations et de rassemblements monstres. Les assemblées des associations étudiantes étaient très courues et tous voulaient prendre les armes. Dans beaucoup de cégeps, le tout s'est soldé par une « journée d'étude ». Par contre, quand la réforme a été acceptée, quand elle n'était plus projet mais réalité, où étaient les associations étudiantes ? On a bien entendu des professeurs essoufflés par le rythme qu'on leur imposait pour effectuer les changements, mais les étudiants se sont tus et, du moins publiquement, ils ont cessé de protester. On parle maintenant de réforme des programmes sociaux, ce qui touche également les étudiants. Ils se sont révoltés et se sont rendus en grand nombre à Ottawa. Résultat ? Ils ont eu l'air de vrais sauvages en jetant du Kraft Dinner au ministre Axworthy. Je n'ai rien contre la protestation elle-même, mais je désapprouve le moyen utilisé. Je me demande cependant si la situation de la réforme Robillard se reproduira. La réforme Axworthy n'est encore qu'un projet; fera-t-on comme la dernière fois, abandonnant le combat quand viendra le temps de la décision ? Notre capacité d'indignation s'épuise si rapidement... Les humains sont bien faibles parfois; c'est pourquoi ils ont inventé l'oubli, qui leur permet de garder la tête haute et pleine d'un orgueil absurde.

On refuse la vérité et la lucidité. C'est là de l'hypocrisie érigée en système. Un autre exemple ? Personne ne l'avouera, mais c'est vrai : on se fiche de ce qui arrive en Bosnie, au Rwanda, en Inde et ailleurs. Oui, des milliers de gens meurent de faim, de blessures, de maladies, d'épuisement. Oui, c'est horrible, mais ayons aussi l'honnêteté de dire qu'on s'en fout. Les gens regardent vaguement la télé, mais avec les ans, ils se sont habitués aux images de petits enfants qui ne se battent même plus contre les mouches qui les assaillent, d'hommes mutilés et de femmes qui hurlent. Les téléspectateurs ne cherchent pas ce qu'ils pourraient faire (envoyer de l'argent ? Ils n'en ont pas.

Et on ne sait jamais quel pourcentage se rend finalement là-bas...). Ils attendent les nouvelles régionales pour savoir si et quand ils perdront leur emploi, ou les nouvelles du sport pour planifier leur soirée de télé. Notre indifférence est complète, réelle et est devenue normale. À tous ceux qui se récrieront que je suis folle ou insensible, je dis ceci : pensez-vous que toutes ces situations horribles dureraient si longtemps si elles choquaient vraiment les gens ? L'invasion du Koweït a vite été réprimée par les Américains, non pas simplement à cause de l'existence même du pétrole koweïtien, mais parce que ce pétrole a une incidence directe sur la vie quotidienne de la plupart des Américains. La Bosnie, ça change quoi dans votre vie ? Vous versez une petite larme de temps à autre, et ensuite vous vous sentez très « humain », très bon. Puis vous allez magasiner et vous n'y pensez plus. La proximité des événements détermine notre intérêt, mais le lien direct avec notre vie le fait encore davantage. Pourtant on continue de nier, de vivre dans une ignorance simulée, bête et heureuse. Je le refuse.

Si vous pensez que j'ai tort de croire que nous sommes avides de béquilles qui jettent des voiles de plus en plus épais sur la réalité, pensez à l'astrologie, à Jojo et à tout le succès que remporte une escroquerie sans aucune base scientifique. Les gens paient cinq dollars la minute pour parler à des soi-disant voyants qui leur donneront leurs chiffres chanceux. Personne ne se demande pourquoi, s'ils sont tous capables de prévoir les numéros de la loto, ils ne jouent pas eux-mêmes... Par éthique professionnelle ? Voyons donc ! Et tout ça est légal.

Il faut qu'on le comprenne une bonne fois pour toutes : l'astrologie n'est pas une science. Aucune démonstration astrologique n'a résisté à un examen impartial par des scientifiques neutres. Pire encore : depuis 2 000 ans, l'astrologie, contrairement à toutes les sciences, n'a pas changé. En deux millénaires, elle n'a pas abandonné ce qu'elle considérait comme LA vérité, ni ne l'a même changée pour l'adapter à la réalité. L'astrologie a agi comme si rien n'avait évolué depuis tout ce temps. Or, depuis, les constellations du zodiaque ont dévié d'environ une constellation à cause de la précession des équinoxes. Jamais les astrologues n'en ont tenu compte et ainsi, tous les signes astrologiques sont décalés. Si on vous dit que vous êtes balance, en réalité vous êtes vierge... Oups.

Malgré tout cela, des milliers de gens croient à cette superstition au point de dépenser de l'argent pour se faire escroquer. Lire l'horoscope quotidien ne fait pas de mal, pense-t-on. Pourtant cela entretient la stupidité et l'aveuglement dont nous sommes tous victimes. Le problème véritable n'est pas l'existence de l'astrologie, bien sûr, mais l'acceptation générale de ce mensonge systématique est un symptôme d'un problème plus grave, que je m'efforce de dénoncer et que beaucoup s'efforcent de nier.

Autre signe de notre vide intellectuel et de notre propension à penser n'importe quoi plutôt qu'à réfléchir à notre navrante situation, tout ce qui a entouré le mariage de Céline Dion. Peu importe l'idée que l'on a de son talent ou de sa musique, rien ne justifie une telle attention. Pendant toute la journée du 17 décembre 1994, le monde a cessé de tourner. Toutes les stations de télévision se disputaient les moindres bribes d'information. Des admirateurs sont venus par pleins autobus pour voir la chanteuse sortir de l'église avec son étole qui a coûté la vie à une quinzaine de visons. D'accord, elle est une vedette, elle a beaucoup d'admirateurs et elle épouse son gérant, mais rien ne justifie les excès auxquels beaucoup se sont livrés. Trois semaines plus tard, les magazines parlaient encore du « mariage de la princesse », de la « rançon de la gloire » ne reculant devant aucune bassesse ni aucun cliché. La première édition de l'album du mariage s'est écoulée en quelques heures, comme s'il s'agissait de quelque chose de vital. Des affamés se jetteraient sur le moindre morceau de nourriture, peu importe s'il était un peu pourri; nous nous sommes jetés sur cet album, comme nous nous jetons, collectivement, sur des revues de potins et de prétendues informations sur nos « vedettes ». Ne me dites pas que de telles horreurs fleurissent ailleurs, et parfois davantage encore, cela ne change rien. Si les Américains se jetaient en bas de leurs ponts, rien ne nous force à les imiter; ce n'est pas parce qu'ils font l'équivalent intellectuellement que nous devons les imiter ou, pire, les devancer. À travers les vedettes, les gens tentent de vivre une vie de rêve, une vie meilleure que la leur. Ils choisissent l'illusion ! Si le rêve n'est pas mal en soi, car il nous aide à garder l'espoir, choisir l'illusion est, au contraire, nocif. Elle endort et aide à l'oubli. Où cela mène-t-il ? À ce que nous vivons aujourd'hui : un manque de lucidité flagrant, un refus de voir les choses en face, une mauvaise foi extraordinaire devant la réalité.

TROISIÈME PARTIE

Certains m'ont dit qu'ils se fichaient pas mal que je parte ou que je reste. Tant mieux. Car ce n'était pas là l'essentiel de mes propos. Peu vous importe, au fond, où je vivrai. Cela ne vous regarde pas ni, en réalité, ne change quoi que ce soit à votre vie. Cependant, s'arrêter à cette déclaration et oublier tout le reste était facile. Soit, qu'on le fasse. Cela ne fait que prouver ce que je dénonce : la facilité intellectuelle que l'on recherche tant. On utilise cette paresse pour la nier, et, ainsi, on prouve sans moi que j'ai raison.

Je rêve d'un lieu où la connaissance est valorisée, où les gens parlent quatre, cinq langues, simplement pour la richesse que cela procure. Un endroit où les théâtres d'été ne sont pas bondés alors que ceux qui présentent des classiques ou des créations menacent de s'écrouler sur de rares spectateurs. Un endroit où le potentiel est encouragé et non pas retenu, où l'éducation n'est pas l'occasion de nivellement par le bas, où les gens lisent et écrivent parce que cela est normal et bienfaiteur. Mais ce n'est pas assez : je voudrais aussi des gens qui prennent leur part de responsabilités. Non pas pour se cacher derrière un paravent et éviter toute discussion en mettant de l'avant ces fameuses responsabilités desquelles on ne peut se défaire, mais pour enfin cesser de blâmer les uns ou les autres et passer à autre chose.

J'ai l'impression que les humains, de l'enfance à la mort, ne changent qu'en apparence. Ils grandissent, soit. Ils grossissent aussi. Mais ils sont toujours aussi irresponsables, aussi effrayés et aussi pleins de préjugés. Et par-dessus tout, ils sont orgueilleux au point de ne pas vouloir voir leurs torts. Oh! ils voient ceux du voisin, ceux de leur femme, ceux des autres pays, mais les leurs, jamais! Enfants et adultes ont lu *Le Petit Prince* dire solennellement: « Je suis responsable de ma rose », mais ils n'ont pas vu plus loin que le premier degré.

J'ai entendu, de la bouche d'un spécialiste, que les Russes, sortant d'une représentation de Tchékhov, sont consternés de voir le portrait qui y est fait d'eux. Ils se disent que si c'est là ce qu'ils sont, ils devraient changer. Les Québécois, eux, quand ils voient *Les Belles-sœurs* rient de les voir si rustres, et ils se disent que ce n'est que du théâtre, qu'eux sont beaucoup plus intelligents, plus généreux, mieux dans leur peau. Ils oublient que de telles choses existent, et qu'eux, peut-être, n'en sont pas si éloignés. Pour comprendre cela, il leur faudrait réfléchir, et c'est là beaucoup leur demander. Au lieu de penser, ils rient. Ils rient de ces femmes seules, pauvres de toutes les façons possibles, et malheureuses. Ils rient de la misère, sans comprendre qu'il y a autre chose à faire.

On m'a dit que l'ailleurs dont je rêve est mythique et que je suis naïve et romantique. Je sais bien que rien n'est jamais parfait, mais je crois sincèrement qu'il existe des endroits sur cette terre où je serais davantage à ma place.

Ça ne voudra pas dire que cet endroit sera parfait, ni même extraordinaire en soi, mais il me conviendra. Et si, après avoir vécu à divers endroits et cherché sans trouver, je m'aperçois que j'ai besoin d'une île déserte pour trouver mon bonheur, je m'en trouverai une. Et ne me dites pas que le bonheur se trouve en nous, ce n'est qu'à moitié vrai, car on n'est jamais totalement imperméable à tout ni indépendant du milieu et des gens qui nous entourent. Ainsi, soit, le Québec m'a faite telle que je suis, mais si cela est vrai, il m'a aussi menée à être insatisfaite de ce qu'il me procure...

La vie intellectuelle, a-t-on dit aussi, est toujours solitaire. Bien sûr. Mais elle peut cependant être partagée, à divers degrés, quand les circonstances s'y prêtent. Seulement, si la volonté intérieure de toujours aller plus loin est suffisante, l'aide et le support extérieur sont souvent bénéfiques. Voyez-vous, je ne suis encore, comme vous, qu'un grand enfant...

Extraits d'une entrevue accordée à Denise Bombardier dans le cadre de l'émission *Raison Passion* diffusée le 17 septembre 1994, suivant une autre entrevue de Mme Lisette Lapointe, épouse du premier ministre Parizeau nouvellement élu.

— Denise Bombardier : *Le Québec me tue*. Ce cri bouleversant, c'est une jeune fille de 19 ans, étudiante en droit, qui l'a lancé à travers les journaux il y a quelques semaines. À l'heure où les militants d'un côté comme de l'autre partent en campagne, cette jeune fille dit, elle, qu'elle désespère du Québec et de ses capacités de s'assumer. Le premier ministre du Québec a déclaré, lors de la parution de sa lettre, qu'elle avait provoqué chez lui un électrochoc.

Il a déclaré cela, et par la suite on vous a invitée, je crois, à la radio, et il y a des gens qui vous ont même attaquée pour avoir dit cette chose-là.

— Helene Jutras : Oui.

— D.B. : Pourquoi avez-vous senti le besoin de lancer ce cri-là ?

— H.J. : Pourquoi je l'ai envoyé aux journaux ? Parce que sur mon ordinateur, ça ne servait à rien. Je l'avais écrit et je me demandais: « Maintenant quoi ? » Alors je l'ai envoyé, au cas, parce que peut-être que c'est important que les gens le sachent même si ça ne changera pas nécessairement quelque chose.

— D.B. : Vous dites: « Partir ne changera rien pour le Québec, mais ça améliorera ma vie. » Vous croyez cela ?

— H.J. : Oui, vraiment.

— D.B. : Je vais citer un extrait très signifiant de votre texte : « Mes idéaux ont fondu vers l'âge de 15 ans. C'est trop tôt. Je ne crois plus en l'intelligence humaine, car j'ai vu trop d'imbéciles être pris pour des génies. Je ne crois plus que le Québec sera un jour indépendant. Pourtant, cet espoir a longtemps été pour moi comme une promesse d'air pur, de renouveau. J'ai compris que rien ne changera, car les gens d'ici sont comme ça. Indécis. Et pas très fiers d'eux. » C'est comme ça que vous le vivez ?

— H.J. : Oui.

— D.B. : Devant l'incapacité des Québécois de vouloir la chose ou son contraire ?

— H.J. : De se décider, d'un côté ou de l'autre. Je ne suis pas nécessairement pour l'indépendance même si j'ai déjà pensé que c'était nécessaire. Maintenant je voudrais seulement qu'on arrête d'en parler si on ne le fera jamais, pas qu'on en parle pendant 10 ans, qu'on fasse un troisième référendum, un quatrième référendum, qu'on en parle tout ce temps-là, que ça ne mène à rien et qu'on ait gaspillé toute l'énergie, tout l'argent aussi pour tout ça.

— D.B. : Et vous, qu'est-ce que ça vous fait ? Ça vous atteint alors, cette indécision profonde ?

— H.J. : Oui, parce que ça vient de toute la mentalité des Québécois. Il y a des exceptions, c'est sûr, mais c'est comme ça que pense la majorité de la population. On est indécis, on ne sait pas ce qu'on veut.

— D.B. : Vous dites aussi, à cet égard, que : « Nous sommes des Québécois d'occasion. Le 24 juin, on sort les drapeaux et tout le tralala, les chansons de Vigneault, les vieilles chansons de Piché, mais que reste-t-il de tout cela le 25 ? Je vous le demande. Je ne fête plus la Saint-Jean, je trouve ça trop triste. » Mais vous comprenez que ça soit dur d'entendre une jeune fille qui a l'avenir devant elle dire une chose pareille, mais c'est dur de le vivre aussi pour vous, je suppose.

— H.J. : Je trouve ça réaliste, je ne trouve pas que ça soit dur d'entendre ça. Ça ne veut pas dire que je baisse les bras pour moi, c'est juste que je mets mes énergies ailleurs. On m'a dit que je baissais les bras, mais ce n'est pas ça du tout, c'est que je ne crois plus au Québec. Je ne vois pas pourquoi je me forcerais pour y croire, ce serait une illusion. Je me bats pour moi. Si je vais ailleurs, ce n'est pas pour descendre les gens d'ici, c'est parce que MOI, je ne trouve pas ce dont j'ai besoin ici, donc je vais le trouver ailleurs. Ce n'est pas triste, ce n'est pas pessimiste.

— D.B. : Vous ne trouvez pas ?

— H.J. : Non.

— D.B. : En quoi croyez-vous ?

— H.J. : Au savoir, à la connaissance; c'est des choses qu'on ne retrouve pas dans la population en général. La culture, au sens large. J'aimerais tout savoir, mais je n'ai pas assez d'une vie.

— D.B. : Vous voudriez que la société valorise plus le savoir et la connaissance.

— H.J. : Oui.

— D.B. : Et votre expérience, parce que là vous êtes en droit, donc vous êtes passée par le cégep, en plus vous avez fréquenté un cégep qui s'appelle Saint-Laurent qui est public, un cégep privé qui est Brébeuf, mais vous n'avez pas trouvé ce que vous cherchiez ?

— H.J. : Non.

— D.B. : Ce défi intellectuel-là ?

— H.J. : Non. C'est-à-dire que dans certains cours oui; il y a toujours des professeurs qui vont nous pousser plus loin, mais en général, non. C'est souvent une question de prendre les gens au niveau où ils sont. Si on prend des gens qui ont passé leur secondaire, mais tout juste et qui n'ont pas cette curiosité intellectuelle, il faut faire les cours à leur niveau, alors ceux qui sont rendus plus loin, on ne peut pas les faire avancer encore plus loin : il faut faire le cours pour l'ensemble.

— D.B. : Vous n'avez pas senti qu'il y avait cet appel au dépassement ?

— H.J. : Non. Il faut aller chercher ailleurs, ce n'est pas le système d'éducation qui nous donne ça.

— D.B. : Qui vous a donné le goût d'apprendre ?

— H.J. : Peut-être certains professeurs de la fin du secondaire, qui m'ont fait connaître certains auteurs; ça m'a donné le goût d'aller plus loin et, en lisant, on connaît d'autres choses, on va encore plus loin. Mais dans le fond, je l'ai fait par moi-même, ce n'était pas des lectures obligatoires aux cours.

— D.B. : Donc votre première motivatrice, c'est vous-même ?

— H.J. : Oui.

— D.B. : Vous êtes fatiguée de ça ? Vous avez besoin que, de l'extérieur, il y ait aussi une pression ?

— H.J. : Non. Je suis contente de ce que je fais, quoique j'aimerais en faire plus, mais les journées n'ont que 24 heures. C'est que ça ne sert à rien; si je suis toute seule, à qui est-ce que je parle finalement ?

— D.B. : Justement, vous êtes seule, alors ? Avez-vous des amis qui pensent comme vous ?

— H.J. : Oui. Je ne suis pas seule au monde, mais l'ensemble ne pense pas comme moi.

— D.B. : Et vous aimeriez qu'on pense un peu plus comme vous, c'est ça ?

— H.J. : Oui. Pas parce que j'ai nécessairement raison, mais parce qu'il me semble que la connaissance, c'est comme un idéal vers lequel normalement on devrait s'élever. On ne devrait pas se complaire dans l'ignorance et c'est ça qu'on fait souvent.

— D.B. : Mais comment en êtes-vous arrivée à ces idées-là ? Ça vient de vos parents, de votre mère, je ne sais pas ? Comment en êtes-vous arrivée à devenir ça, ce que vous êtes ? Vous m'avez dit: « J'ai lu tout l'été parce que je ne lirai plus que du droit », et j'imagine que si vous me dites que vous avez lu cet été, ce n'est pas un livre par 15 jours, c'est plutôt un livre par 2, 3 jours, je suppose.

— H.J. : Oui.

— D.B. : Alors comment en êtes-vous arrivée là vous-même ?

— H.J. : Il y a certains professeurs qui, eux, nous poussent à aller plus loin, mais en dehors du système.

— D.B. : Vous considérez que le système scolaire est totalement déficient à cet égard ?

— H.J. : Peut-être pas totalement, mais pas loin.

— D.B. : Qu'est-ce que vous cherchez ? C'est quoi pour vous un milieu où vous vous sentiriez plus à l'aise ?

— H.J. : Ce serait quelque part où les gens sont plus ouverts à de nouvelles choses. Ici, si on parle anglais ET français, c'est très beau. En Europe, en général, les gens parlent deux langues, parfois trois, parfois plus. C'est une question de géographie, c'est sûr, mais, ici, essayer d'apprendre une troisième langue, c'est pas si évident. Il n'y a pas tant de gens qui se donnent la peine. Pourtant une troisième langue, disons, c'est toute une façon de voir différemment, c'est quelque chose de très riche, mais je ne sens pas chez les gens l'intérêt d'aller chercher ça.

— D.B. : Vous dites « Ici les choses ne changent pas », mais on a l'impression qu'au contraire, les gens veulent toujours être à la mode, veulent toujours être branchés. Vous ne trouvez pas ça, vous ? Vous trouvez que c'est une société qui ne bouge pas beaucoup ?

— H.J. : Pas beaucoup, non. Être branché... c'est quoi, être branché ?

— D.B. : Oui, c'est quoi ? Parce que si on peut être branché, on peut être débranché aussi.

Est-ce que vous êtes surprise de la réaction ? Parce que je sais qu'il y a des gens qui vous ont même interpellée de façon presque violente...

— H.J. : Je n'ai pas été vraiment surprise; d'ailleurs je disais [dans ma lettre], que les gens [m'attaqueraient]. Les gens essaient de cacher ça, essaient de me dire: « Tu peux aller étudier ailleurs, mais reviens ! » Tout le monde me dit: « Tu vas voir, tu vas revenir... » Tout le monde essaie de nous garder dans une cloche, dans une bulle, au Québec. Je ne sais pas s'il y a ça ailleurs. On comprend que les gens, par exemple les Européens qui immigrent ici, on les comprend de vouloir venir ici. Mais ces gens-là sont partis de quelque part... Pourquoi nous on ne pourrait pas partir ? C'est sûr qu'il y a une classe supérieure (entre guillemets) qui comprend qu'on puisse partir, mais en général, même si c'est inconscient, on considère qu'il faut rester ici, qu'il faut y croire à tout prix.

— D.B. : Et c'est ça que vous n'avez pas envie de faire ?

— H.J. : Oui.

— D.B. : Et quand vous écoutez Mme [Lisette] Lapointe, qui est une femme de 50 ans, qui est une femme qui croit — on sent très bien d'ailleurs qu'elle a des convictions — , est-ce que vous ne l'enviez pas de croire, elle, parce que quand on croit, il y a quelque chose de stimulant là-dedans ?

— H.J. : Oui, mais je ne trouve pas que c'est réaliste. C'est beau qu'elle y croit, qu'elle pense que c'est possible, mais quand on regarde le peuple... On ne peut pas faire bouger les gens sans qu'ils le veuillent, et je ne pense pas qu'ils veuillent bouger. Le résultat de l'élection montre qu'il n'y a pas nécessairement une majorité qui voterait oui à un éventuel référendum.

— D.B. : Et ce débat-là, vous ne voulez pas, vous, l'assumer ?

— H.J. : Non.

— D.B. : Mais vous y avez déjà cru ?

— H.J. : Oui. J'étais au milieu de l'adolescence; c'était une façon de faire partie d'un groupe, même si c'était inconscient; j'y croyais vraiment, mais quelque part, c'était ça. Dans mon milieu, mes amis, mes relations, ça pensait comme ça.

— D.B. : Et maintenant vous pensez par vous-même ?

— H.J. : Oui.

TABLE DES MATIÈRES

• Cap-Saint-Ignace
• Sainte-Marie (Beauce)
Québec, Canada
1995